European societies
between
diversity and convergence

*Les sociétés européennes
entre diversité et convergence*

―――――――――――――

Collection

Multicultural Europe

L'Europe plurielle

N° 3

Léonce Bekemans & Robert Picht (eds.)

European societies
between
diversity and convergence

*Les sociétés européennes
entre diversité et convergence*

**Un séminaire tenu au
COLLEGE of / d' EUROPE
Bruges
Décembre 1992**

PRESSES INTERUNIVERSITAIRES EUROPEENNES

© Collège d'Europe et Presses Interuniversitaires Européennes, 1993

ISBN 90 - 5201 - 301 - 2
D / 1993 / 5678 / 02

PREFACE

In the framework of its research policy, the College of Europe organized an international workshop to launch an interdisciplinary and comparative long-term project on «**European societies between Diversity and Convergence**». Scholars from different disciplines and different European countries participated in this Conference, held on 3 and 4 December 1992 in Bruges. The scientific preparation and organization of the meeting was made possible by financial contributions from the *Foundation Salvador de Madariaga*, set up by the Association of Alumni of the College to promote research at the College, the *Council of Europe* in the framework of its deliberations on European studies and *the College of Europe* itself, as an institute of post-graduate European studies.

The main objective of the project is to present comparative concepts and information on the socio-cultural development of European societies and to offer a concrete contribution to overcome the deficits of the growing discipline of European studies. It also aims at strengthening interdisciplinary and international co-operation at the European level. The College of Europe took this initiative to make the existing knowledge and diversified savoir-faire on European societies accessible to teaching and intercultural training. The project was scientifically co-ordinated by Professor R. Picht, Director of the Franco-German Institute, Prof. J. Vidal-Beneyto, Professor of Sociology at the University of Paris X, and Dr. Léonce Bekemans, Assistant Professor at the College of Europe, Bruges.

This publication offers an introduction to the general debate on diversity and convergences between European societies. Most of the texts were presented and discussed at the meeting which launched the project. Specific themes will be prepared by an interdisciplinary cooperation of experts and result in separate publications. A first dossier on «*Convergences et divergences des systèmes éducatifs dans la Communauté européenne*» will be published in due course.

5

Table of contents

7

INTRODUCTION

by

L. Bekemans and R. Picht

As a reaction to the dynamism of the Common Market and the steps toward Political Union, universities and management schools all over the world are developing programmes of European studies. A better understanding of European integration is also becoming an important element of training for businessmen, civil servants etc. They need to understand the new landscape of international cooperation and to be able to act in a foreign context.

Traditionally, European studies have been well established in the domain of political sciences, law and economics. They developed parallel to the process of European integration and concentrated on its conditions and obstacles.

Intentionally, Europe was seen as a whole, many national specificities and divergences being considered as a legacy from the past, to be progressively overcome by functional integration. Consequently, the main focus of European studies was oriented towards European institutions and common developments in European countries. However, they generally neglected the concrete comparison of European societies and the study of the consequences of the integration on their profound transformations. This lack of comprehension for

9

national specificities or historical particularities entail a major obstacle for economic and political cooperation.

As a method, this emphasis on generalisation corresponds to the normative and quantitative model-building tendency of the disciplines concerned. Along the same lines the history of European integration developed as a special branch of contemporary historiography.

Understanding the development of European societies between diversity and convergence : a political and practical necessity

With growing economic interdependence and institutional integration, the problems of national, regional and cultural identity become a subject of public preoccupation. The fear of uniformity and bureaucratic overregulation even leads to the rejection of European unification itself by growing parts of the population.

The understanding of European diversity within the context of growing economic and social cohesion in Europe has an important cultural and political relevance. It may help to improve understanding and cooperation between European countries and firms. The debate is very much linked to the situation of continuity and change in European society. Changes are related to the economic, social, cultural and even the psychological field. Many traditions seem to be contested and need to be understood within this changing context.

In the Maastricht Treaty, diversity and subsidiarity are introduced as antidotes against uniformity, but nobody has clarified sufficiently what precisely they mean. With the reactions in different Member States to the Treaty of Maastricht we are better prepared to take diversity seriously. Diversity means cultural specificities in terms of tradition but also in terms of actual reactions to the changing context in Europe. It also implies that we have to understand the forces of international interdependence and European convergence trends. It is a process which has different consequences for our different societies and implies different reactions.

10

The project also has practical relevance. Its results may help to improve understanding and co-operation between European countries. European studies may then very well promote co-operation. This is true for different types of co-operation in Europe.

In the practical relations between European countries and firms, political, social and cultural differences nevertheless continue to appear as a daily obstacle to co-operation. The business world tries to overcome them by intercultural training programmes, at most able to improve the atmosphere without clarifying the underlying differences.

The closer the interconnection between partners, the more apparent becomes the fact that co-operation between institutions and human beings needs more than just superficial communication. The process of European unification implies not only political agreements and technical exchanges but closer relations between societies with all their complexity.

The comparison of European societies : an underdeveloped area

Despite their political and practical relevance, the available introductions to an appropriate comparison of contemporary European societies are mostly unsatisfactory. The current methods of teaching and training do not take the problems of comparison - which in their spontaneous application are the source of innumerable misunderstandings - sufficiently into account. As a consequence, relations between Europeans are still influenced too much by stereotypes. Help is necessary to make the knowledge about changing European reality more easily available.

At universities, disciplinary distinction exists in most European studies programmes. European studies are institutional, legal, economic, political and sometimes historical. However, European dimensions exist in different separate disciplines. The study of contemporary changes and continuities in European society are often absent in European studies.

11

This astonishing lack of European self-understanding is due to the fact that the effort of bringing together the necessary elements in a comprehensive way needs an international and interdisciplinary cooperation which does not occur spontaneously. The multitude of specialized studies and expertise produced by international and European institutions, research institutes and universities is not used as it could be for European studies. We lack, therefore, criteria and information to discuss crucial issues such as convergence and diversity between European societies in a competent way.

Dossiers on comparative European sociology : a pragmatic approach

In order to benefit from the knowledge and approaches gained from experiences in different countries and disciplines, we have to build up interdisciplinary and international cooperation. Such co-operation may lead to the comprehensive use of different research approaches which could give us the information and instruments needed to really understand European societies in their diversities and convergences.

The integration of results and methods from different origins is a challenging methodological and comparative task and creates an added value of the project. No individual scholar could produce a sociology of Europe sufficiently specific to be useful for the purpose of European studies and training programmes. Such a synthesis would be in any case too general to correspond to the specific needs of a variety of teaching programmes.

We suggest, therefore, a consciously more modest approach which allows for the realization of the necessary international and interdisciplinary co-operation of specialists in a more limited way. Such a pragmatic approach may lead to readable and useful results and may provide the instruments to understand further developments but also the skills to act accordingly.

We propose to produce Dossiers presenting the most relevant comparative information and analytical approaches on specific subjects such as :

12

- Social structures and social change;

- Family development and demography;
- Educational systems 1: educational systems in their social context;
- Educational systems 2: ways of thinking and behaviour transmitted by schools and higher education;
- Economic cultures: the role of the State, social relations, comparative management and national reactions to internationalization;
- Social Welfare;
- Life-styles: consumption, leisure and cultural forms of everyday life;
- Towards a multicultural society ? Migrations and minorities;
- Political culture and collective identities;
- The Europeans in search of a new morality: attitudes towards religion and changing values.

It is evident that the combination of such a series of dossiers creates a comparative knowledge of European societies going far beyond the isolated themes. They do not present definitive results but rather make accessible materials from different disciplines and different countries to further study and teaching.

Presentation of the book

The collection of papers presented in this publication offers a survey of the general discussion on the theme of diversity and convergences between European societies and provides a number of specific propositions for an immediate follow up of the project. It is meant to introduce the reader to the use of concepts and practical tools for understanding European societies in their contextual setting.

The contribution by Ambassador **W. Ungerer**, Rector of the College of Europe, introduces the general theme of continuity and change taking place in European societies. It presents a synthesis of the facts and trends which indicate possible lines of societal development in Western Europe.

Prof. Dr. **R. Picht** provides in his paper on «*Les sociétés européennes entre Diversité et Convergence: Propositions pour l'approfondissement de l'approche comparative dans les études européennes*» a critical survey of the available information and research on the socio-cultural development of European societies. He discusses a number of analytical and thematic propositions on the comparative study of European societies. A number of dossiers on European sociology is proposed which may intensify and reinforce existing research on specific themes.

The contribution of Dr. **L. Bekemans** deals with a critical assessment of an economic approach to the comparative study of European societies. A dialectic process of continuity and change exists in European economic systems between convergence trends and existing and new differences in national and regional economic cultures. The actual complexity of European societies is contrasted with the paradigm of the rational actor model in economic theory. He proposes an interdisciplinary, socio-historical economic approach. This should increase knowledge about the changing European reality and have an impact on the education and training of future economic actors.

In a second contribution, Prof. **R. Picht** introduces the methodological aims and problems of the proposed interdisciplinary and comparative approach. The actual state of the art shows an important fragmentation of the literature and of the sources of information. The training of know-how and attitudes to deal with diversity and interdependence in the changing European societies is of utmost importance. The establishment of a network of interdisciplinary co-operation to present dossiers on specific themes is considered crucial for the discipline of European studies.

In the conclusion we have summarized the discussion in view of the further developments of the project and explained the main steps which were taken at the meeting to give an immediate follow up to the project.

FACTS AND TRENDS OF SOCIETAL DEVELOPMENTS IN WESTERN EUROPE

Ambassador W. UNGERER

Rector of the College of Europe

I . Introduction

In comparing national cultures in Europe, one might be tempted to consider a given national culture as something solidly grounded in a long tradition, having distinct characteristics which only change slowly in spite of recognizable turbulences of surface phenomena. Whether this temptation materializes or not depends, of course, on the definition of «culture». If we define it in such a way that it comprises social phenomena, such as political culture, enterprise culture or specific thinking and behaviour patterns of human beings, i.e. if we see culture in a broader perspective, not limited to the arts, literature, science and education, we have to take into consideration general societal trends which have or might have repercussions on all these specific «cultures». If we do so, we soon discover that national cultures in Western Europe are subject to the

15

same influences resulting from rapid developments in science and technology, in production methods and the organization of industry and agriculture, as well as from profound changes in the natural environment and in thinking patterns. It is therefore useful to take a look at certain facts and trends which are visible and are already influencing the structure and functioning of the West-European post-industrial societies. Heracleitus's *«Panta rhei»* applies even more to our modern societies than to ancient ones as we find ourselves in a period of rapid transformation.

II . Facts, trends and consequences

1) *Knowledge, Science and Technology*

Nowadays, human knowledge doubles every 5 years. Between 1980 and 2000 it will have increased by a factor of 16. The half-life of scientific and technological knowledge becomes continually shorter. An electrical engineer has to learn his profession 3 or 4 times in the course of his career. Technological change is much faster than ever before. 55 % of the products sold by Siemens have been introduced into the market not longer than 5 years ago.

Just as the refrigerator, the dish-washer, the washing-machine, the dryer, the deep-freezer and the micro-wave oven have considerably changed modern households and the role of women, just as the television set has an enormous impact on family life with far reaching consequences on education and society, the computer has already and shall increasingly modify our way of life. It has already conquered scientific institutions, banks, enterprises, law offices and even public administrations and will soon be a normal ingredient of every middle-class household.

Printed information, bank accounts or correspondence by letter, will be more and more replaced by electronic information and data systems. In private and public administrations the use of data banks, computer systems and video conferences will result in an enormous acceleration of the flux of information. Public political discussion will more and more take place between the electronic media and politicians. This raises the question of whether the decision-making processes involving several hierarchical stages and institutions continue to make sense. It is not impossible that existing political and administrative institutions will lose in significance.

Computers and data banks will be used in most of the universities and secondary schools. This is not the only change in this sector. If knowledge in certain fields is obsolete after five years, it does not make sense to continue the present university teaching which consists of filling the brains of students with all kinds of detailed knowledge. Old principles of education will again come to the forefront, i.e. schools and universities will be expected to concentrate on teaching basic knowledge as well as learning and working methods.

New technologies in production and distribution of energy and in transport and communication might perhaps less influence households and family life, but will certainly have similar impacts on societies as railways and steam boats had in the 19th century and motor-cars and airplanes in the twentieth.

Progress in physics, above all in the field of high energy particles, will further erode the scientific basis of materialism as it existed in the 19th century and pave the way for new thinking and beliefs which might not only influence philosophical paradigms and religious beliefs but also economic behaviour.

2) *Industry and the economy*

Accelerated technological cycles and larger diffusion of new technologies have resulted in considerable increases of productivity, but also of competition and innovations. Machines and equipment have to be renewed much faster than ever before. Research and development of new products have to be intensified. Both require higher investments. Their financing is only possible if more products are sold and production costs are held down. This leads to the replacement of labour by robots, to electronically steered production processes, to the replacement of extensive stocks by «just in time production», to more specialized production and cooperation between single-part suppliers, to the extension of production capacities and to economies of scale.

The wave of mergers in European industry and the interest of industry in the completion of the internal market and in the establishment of a European Economic Area can be - to a large extent - explained by these developments. National markets are too small for the output of modern production capacities. The sales territory for many enterprises is nowadays the world market. Even if there is an international trade system like

GATT where obstacles to international trade are monitored and attempts are made to make them disappear, enterprises have to rely on home markets where secure institutional and legal conditions exist for their sales, conditions which do not exist on a world-wide basis. Hence the quest for a continental market in Europe which is large enough and has such institutional and legal safeguards. The common market is the home market for West-European industry. On this basis it can enter world-wide competition on equal terms with the Japanese and the Americans.

Technological development will not only lead to organizational transformations within enterprises but also to structural changes in the economy as a whole. New industries will rise, old industries have either to be modernized or will disappear.

The replacement of workers by robots and electronically steered production processes means that one needs fewer unskilled or semi-skilled workers. Previsions indicate that in the year 2000, Germany needs 3 million fewer unskilled and semi-skilled workers. Mechanical work will be more and more replaced by intellectual work. According to a study made by Siemens, the percentage of semi-skilled workers in the company has decreased between 1974 and 1988 from 40 to 24 %, while the percentage of university- trained personnel has increased from 11 to 22 %. Highly qualified personnel having creative capacities, are more and more needed, if an enterprise wants to keep its place in technological and innovative competition.

For the individual, this means life-long learning. As the half-life of knowledge becomes shorter and shorter, continuous learning and training becomes part of the necessary investment of enterprises and of the whole economy. In 1990, expenditure of enterprises in Germany for training amounted to 26 billion DM, that is 10 times more than in 1972. Every employee of IBM Europe spends an average of 13 days per year in training courses. It is easy to see that a new service industry is rising, specialized in training.

For society, this means changes in working conditions, i.e. shorter working time, part-time jobs, flexible working hours and decentralization of work with the help of computer and video systems, so that people who want to do so can work at home with the help of a computer linked to the office in the city. Or - to give another example -the Directors of factories of a big enterprise which are situated in different regions, do not have to travel continuously in order to participate in the meetings of Directors taking place regularly at the headquarters of the company. Each factory installs a video conference room and the meeting takes place via video.

If there is more time available for people, the problem of sensible use of their free time gives more possibilities for education. The trend is already visible in all kinds of courses offered for adults. Life-long-learning in fields of professional and private interests will become an essential feature of our future society. It goes without saying that our school and university systems will have to adapt to these developments.

On the other hand, our societies will have to live with unemployment because progress in productivity through the use of computers, electronic systems and new production and management methods will make certain conventional jobs redundant and many people are not able or willing to adapt themselves to new job requirements. In addition, structural changes and their impact on certain regions and industries will diminish employment possibilities. Such unemployment could, however, be absorbed by new industries, provided people show enough mobility. This, in turn, will replace people who used to stay in their hometown all their lives, by people who move their domiciles according to job-possibilities with all the consequences of social and cultural uprooting.

In spite of possible adaptations, unemployment will remain higher than it used to be in the sixties or seventies. Already now the average unemployment rate in the EC has surpassed 10 %. To hope that this rate will considerably decrease if the growth rate of the gross national product returns to more than 2 %, is one of the illusions of politicians and conventional economists. We are in the middle of far reaching structural changes and unemployment is the price we have to pay for it, unless our populations are willing :

- to show greater mobility,
- to acquire the higher job qualifications needed in our post-industrial societies,
- to accept lower salaries and wages if the working time becomes shorter,
- to work in jobs which are less pleasant than those to which they aspire and which are filled by immigrant workers.

As it is doubtful that people and trade unions will show this willingness, our post-industrial societies in Western Europe might easily become three class societies consisting of people who have qualified work, people who are unemployed and immigrant workers doing the dirty jobs. If one adds to these three classes the considerable and possibly growing number of old and retired people, one arrives at a social structure which is quite different from the axioms of economic and political theories.

3) *Ecology*

The world economy is today 20 times bigger than in 1900, world industrial production 50 times. Four fifths of industrial growth occurred after 1950. 5.2 billion human beings consume 40 % of organic matter produced on land by photosynthesis. More than 50 % of the damage to the ecological sphere - i.e. to the atmosphere, the water- systems, the soil, the species and nutrients - which have been caused in the last 300 years and can be scientifically ascertained, have occurred during the last 30 years.

Scientists think that about 40 countries will, in the foreseeable future, not have any more sufficient supplies of water. Drought conquers 6 million km^2 every year.

80 % of raw materials and more than 75 % of commercialized energy are consumed by 1.3 billion people in industrial countries. If third world countries ever reached the per capita consumption of the industrial countries, ecological collapse would be imminent.

Even if the per capita consumption in third world countries remains much lower, the pure fact, that - according to prognostics

- world population will grow from about 5 billion at present to more than 8 billion in 2025, indicates the ecological catastrophe which our children have to face: excessive energy consumption, increased use of more or less toxic chemicals, growing waste, expanding road and air traffic, poisoning of soils, growing pollution of water and air, with all the consequences for forests, plants, animals, nutrients and human health which such conditions entail.

4) *Demography*

The growth of world population from 5 to 8 billion in the next 30 years will not only create ecological problems but also social and political ones. The increase is mainly taking place in developing countries. In Western Europe the trend goes in the opposite direction. According to forecasts, there will be only 50 million Germans in 2030 instead of 78 million now. Italy is the country with the lowest birth rate in Europe and in other West European countries birth rates are not much higher.

On the other hand, the population of Turkey will reach 100 million and the North African countries have even higher growth rates. How these countries will be able to tackle their economic problems is an open question. One thing is certain: growing pressure on Western Europe to give more economic assistance and to allow immigration.

While the age-pyramid in the third world is still solidly grounded, age-pyramids in Western Europe do not look any more like pyramids but rather like apple-trees, because birth rates go down and people live longer.

This has and will increasingly have serious repercussions on pension systems which can only function if the work force which generates contributions to the pension system grows. As the birth rate falls, it means immigration of foreign workers.

This tendency is reinforced by the fact that younger people in richer countries consider certain jobs in factories and in the service sector as not acceptable. The consequence is that employers have to recruit labour from other countries. It is doubtful whether all these workers and employees can and will come from Southern Member States of the European Community, even if the free movement of persons between Spain and Portugal on the one hand, and the other Community countries on the other hand is possible since January 1993. It is more probable that these workers and employees will come from the Southern shore of the Mediterranean and from Eastern Europe.

The population increase in Africa and Asia and the desire of many people in Eastern Europe to live in more affluent societies will in any case lead to increased immigration pressure and - in a similar manner as in the United States - to illegal immigration. A country like Italy, which was until recently an emigration country has become the goal of illegal immigrants from Africa. Germany has become the meeting place for all kinds of immigrants, mainly from Eastern Europe.

Apart from social and political problems which normally ensue from substantial immigration of foreigners with a different social and cultural background, the consequences will certainly be felt in the cultural domain. In a Germany, consisting of 50 million Germans and 30 million non-Germans, most of whom would not come from Western Europe, German culture would no longer be the same as it was and still is. Whatever the national traditions with respect to the acceptance of foreigners are, in a European Community without internal borders harmonized legal provisions for asylum and immigration are unavoidable.

The demographic development and its consequences also require other measures. As the percentage of older people grows, policies have to be devised which take account of their problems. We are witnesses of an individualization of society, which is reflected by the fact that e.g. in München 60 % of the households consist of singles. In such a society, families cannot take care of older family members any more. This means that we have to develop new social systems, e.g. a civil service of young people, replacing - at least partly - the military service, which takes care of the old and sick people.

5) *Consciousness*

a. Ecological consciousness

It exists in Western Europe in different intensity: in Scandinavia, the Netherlands, Switzerland, Austria and Germany it is pretty strong; in France, Great-Britain, Belgium, Italy, Spain, Portugal and Greece it is weaker.

A study made on values of teenagers in different European countries shows that in all countries health is considered to be most important, more important than wealth. In Germany, 72 % of young people are in favour of effective measures to protect the environment.

New ethical considerations are made by philosophers: **Hans Jonas** enlarged Kant's categorical imperative to nature: «Act in such a way that the effects of your actions are compatible with permanent and genuine human life on earth.» The more man has power over nature, the more he has responsibility for nature[1].

In many quarters, growing doubt is expressed vis-a-vis the techno-economical growth paradigm which still is considered by many people as the essence of progress. The Club of Rome is the pioneer of such thinking.

There are more and more entrepreneurs who raise the question of whether profit seeking should not be tempered by a new enterprise culture which would include social and ecological responsibility.

Ecological policy is no longer the wish or demand of some philosophers, citizens groups or the green parties, but has now become an important part of the programmes of the established parties.

---

[1] Hans Jonas :*Das Prinzip Verantwortung,* Versuch einer Ethik für die technologische Zivilisation, Frankfurt, 1979.

b. Societal thinking

Some of the most striking examples of new societal thinking are the ideas on the role of women in society, and their relationship to men, based on the wish of women to have more opportunities of self- realization and equal professional chances.

There is also a new understanding of democracy. It is not limited to formal democracy, i.e. elections and parliaments which legislate and control the government, but includes also democracy within political parties, public institutions and private enterprises, even within the family where the patriarch of past centuries is disappearing. More accent is put on human rights and respect of human dignity.

Besides, people want more liberty in the form of fewer and more flexible working hours, more travel possibilities, and fewer bourgeois conventions. This involves diminishing importance for values and behaviour patterns which have left their marks on European society, such as the protestant work ethic as described by Max Weber, the respect for authority, and the appreciation for property. It is bound to lead to a society which is less homogeneous and does not have clear social structures.

c . Ideological Thinking

Socialistic ideology has been discredited not only by the break down of the communist system in Eastern Europe but also by the reality of socialism in certain third world countries. This does not mean that capitalism has definitely won. In a period of ideological competition between capitalism and socialism backed by two superpowers, opposing each other, it seemed important to maintain the cohesion of the «capitalist camp». The ideological challenge has dwindled because neither Chinese communism nor Islamic fundamentalism are considered to be a serious alternative to capitalism. Attention will therefore turn to inherent weaknesses of the capitalist system.

The trend goes in the direction of social market economy which is not pure capitalism, but a sort of synthesis between capitalism and socialism. Nearly all Western European countries have a mixed system. Even the Federal Republic of Germany, being considered to have a free market economy, has social legislation to such an extent that it can be hardly called a capitalist country. In addition, a number of economic sectors are organized in such a way that they are far from a free market. Examples are agriculture, energy, transport and telecommunications. Besides, there are state-owned enterprises, manyfold subsidies, environmental legislation and, last but not least, an order for craftsmen which has its origin in medieval guilds. The presidential elections in the United States have demonstrated, that the majority of Americans are in favour of a stronger social component in their economic system. In Eastern Europe where American trained economists pushed radical economic reforms, a more cautious attitude is gaining ground.

The class struggle between capitalists and the proletariat has become a relict of the 19th century. The prevailing tendency is to treat questions of the economic and social order in a factual and pragmatic way.

d. Nationalistic Thinking

After the catastrophes of two World Wars, Western Europe experienced a sort of Copernican revolution. The starting point was the idea of a united Europe, which, of course, existed vaguely before the last World War, but became clearer after the war and was then transformed into political action. Milestones in this context, were the Zürich speech of Churchill in 1946 and the Hertenstein programme of the same year, the Congress of the Hague in 1948, and the Schuman Declaration of 1950, leading to the creation of the first European Community. The preamble of Treaty on the Coal and Steel Community reflects this new thinking:

- replace century old rivalries by pooling essential interests;
- form a common basis for economic development;
- create a factual linkage by concrete efforts.

The idea of European Unity stands for overcoming the ideas of unlimited competition between nations and the predominance of national prestige. It also stands for common

European decision-making, the inclusion of nation states into European organizations and a European legal order. It does not stand for a fortress Europe, but rather for openness towards other Europeans and cooperation with non-European countries.

e. Thinking in terms of force

It is a sign of primitive manhood to think that a problem can be solved by physical force. This realization is increasing in spite of strong armies in many countries, in spite of tanks, airplanes, chemical weapons, atomic bombs and continuing efforts to produce even more perfect weapons. The wave of terrorism in Western Europe shall not be denied, but it appears rather to be one of the last convulsions of this thinking. The maxim of Clausewitz that war is the continuation of foreign policy with other means is not accepted any more in Western Europe. The speeches of contemporary West European politicians, compared to speeches made at the end of the 19th century or before the two World Wars, reflect this new thinking.

The break-down of communism in Eastern Europe, the dissolution of the Soviet Union, and the subsequent acceleration of disarmament negotiations between East and West have led to the replacement of armed intimidation by cooperation in the framework of the recently institutionalized Conference on Security and Cooperation in Europe and the newly created North Atlantic Cooperation Council in which East European countries participate. Cooperation is not limited to diplomats but includes high officers of the armed forces. It reflects the new thinking even more than political speeches.

Unfortunately, the events in Yugoslavia and in parts of the former Soviet Union demonstrate that this new thinking has not sufficiently spread to Southern and Eastern Europe and beyond.

f. Religious Thinking

The established christian communities are confronted with many problems: empty churches, conflicts between dogmas and new social ideas such as the role of women and their self-determination. These phenomena might lead to the conclusion that there is a growing materialism and a decline of religious and metaphysical interest. This impression, however, covers only part of the new reality, because one can also find a growing interest in philosophical and metaphysical questions. Examples are the new age movement and the interest in esoteric literature.

There is also a trend towards pluralistic religiousness. This, of course, has the effect that the religious and ethical consensus which existed in Europe will be lost. It was this consensus which gave an enormous impulse to European civilization and allowed - even after the schism between Catholics and Protestants - a common basis for human relations in Western Europe.

Pessimists think that pluralistic religiousness is the beginning of spiritual chaos. Others, like **Hans Küng**, think that it leads to the necessity to find a new inter-religious consensus on ethical values. He tried to formulate common denominators for three major religions : Christians, Moslems and Jews:

- All three believe in one God
- All three believe in justice, truthfulness, loyality, peace and love - as demands of the same God
- All three are deeply influenced by the criticism, expressed by their prophets, of existing unjust and unhuman conditions[2].

There is indeed a growing interest in ethical values as demonstrated by the growing number of seminars on ethics for businessmen and other persons in the prime of their life.

g. Cultural Thinking

Western Europe has a rich cultural tradition and makes substantial efforts to maintain this tradition. We renovate our architectural monuments. We cherish our museums and even build new ones. We give subsidies to our symphony orchestras and Opera Houses and finance universities, conservatories and research institutes in order to continue to teach and study philosophy, literature, music, history of art, etc.

---

[2] *Projekt Welt-Ethos*», München-Zürich, 1990.

But culture has to be a living organism. It can be sustained only if there is permanent creation. There is, of course, a lot of cultural activity : modern painters using various styles, composers creating serial, twelve tone and electronic music, sculptors working with rusty irons or heaps of stones. And there is a sub-culture characterized by rock-music, punks and other phenomena, not to forget the commercialized pop-culture. Influences from other continents can also be registered, but it amounts mostly to a very superficial acceptance of other cultures.

Modern art seems to many people diffuse and in some respect even disturbing, literature rather pessimistic, and serious music rarely understandable. Many Europeans wonder where the great Hommes de Lettres are, where the great composers, where the great painters? And they deplore that they cannot see anybody comparable to Shakespeare or Goethe, Mozart or Beethoven, Michelangelo or Rembrandt. From there it is a short way to the conclusion that European culture is coming to its end and with it its national cultures. Others conclude that we are on the way to a pluri-cultural society and find that this is progress.

h. New consciousness

If we see the change of thinking patterns as a whole, we discover the development of a new consciousness which is not limited to Western Europe. It is inspired by the feeling that old thinking patterns in the scientific, economic, social, cultural, political and philosophical/ religious fields will not allow our Western civilization to affront the challenges of the 21st century. The ecological catastrophe cannot be prevented by a few additional laws and regulations for environmental protection, the demographic and social problems connected with changed age-pyramids, migrations and structural unemployment cannot be solved by conventional recipes for economic, social and immigration policies and the relationship between North and South on our globe needs new approaches in foreign policy based on concepts which have overcome old ideological, national and military thinking and behaviour patterns. A growing number of thinkers - in philosophy, sociology, psychology, natural sciences and politics - find that fundamental changes in human consciousness are indispensable if we want to prevent the catastrophes which can already be depicted.

III . Conclusions

It is evident that the developments described above have multiple consequences which could only be touched upon. They present challenges for individual persons, enterprises, professional organizations, schools and universities, political parties and governments. They call for measures which have to be taken both on the local and regional level (e.g. on the field of education), and on the national level (e.g. pension systems and social services). Many of these developments will be felt all over Western Europe and many of the repercussions have political implications on a European scale. This applies to certain fields of scientific research and technological development, to industry and its role within a European-wide common market, to transport and communications, environmental protection and minimum social standards, economic and monetary policy as well as to the relations of the European Community with other European countries and the rest of the world.

The societal changes mentioned do not cover the whole spectrum. The role and structure of the media for example has not been treated. It would have required a separate article. All these changes affect the member-countries of the European Community, albeit in varying degrees. The question is, whether these variations lead to a widening of differences between national cultures or whether the impact of developments in science, technology, industry, economy, ecology, demography and consciousness is such, that it supersedes or diminishes parts of the existing differences. There is no doubt that a European economic area without internal borders will have a unifying effect at least on the economy and its legal framework and many side effects of a similar nature on other spheres of public life. All this will not erase the characteristics and basic features of the life style of the European nations and countries, but will create common denominators in a number of sectors which are the domains where - in accordance with the principle of subsidiarity - European policies have to be formulated and applied.

It is therefore appropriate to dedicate a few remarks to what is needed on the European level.

Some European policies will be considered to be more important than others. This is certainly the case with environmental policy. The internal market being largely completed and the establishment of a European economic area on the way, the transformation of the Community into a real European Union and not into a temple with two intergovernmental pillars, as conceived in Maastricht, is a must. The challenges facing Europe require efficient decision-making structures. The Commission has to become a true European executive, the Council has to work less as a permanent diplomatic conference and more like a federal Council. The European Parliament has to take a greater part in legislation and has to control the Executive, i.e. the Commission, more effectively. The political focus within the Union has to be such that every interested citizen knows which persons are responsible for European policies. In the present institutional set-up, there is no such focus of political responsibility. Europe needs such a focus because it needs coherent and effective policies in various fields and not least in foreign and security policy.

While this can be considered to be part of the deepening of European integration, we also have to envisage the enlargement of the Community or the European Union, first to the EFTA-countries, then to the Czech Republic, Hungary, Poland and Slovakia, although these central European countries can only become members of the Community after a process of economic and political consolidation, to which the Community has to contribute in the framework of the existing association agreements with these countries.

In the 21st century, Europe cannot rely on the United States to be the guardian of its security although it should remain allied with them as closely as possible. Western Europe will have to approach its security in new terms and will have to dedicate a growing part of its financial, human and industrial resources for environmental and social purposes, not only in Europe, but also in the third world. The Europeans cannot avoid shouldering global responsibilities. To tackle global problems, a close cooperation between Western Europe, the United States, Canada and Japan is indispensable;

This being said, one should recall that facts and trends indicate possible lines of development. If one takes only demographic, technological, industrial and environmental phenomena into consideration, as well as changing political ideas, it appears possible to make some extrapolations on probable developments of the society. The situation is, however, much more complicated if one takes into account changes in social, religious and cultural consciousness.

One thing, however, is certain: there is no linear development. Cleo is a capricious lady and has proved it in the past three years. We can, therefore, not exclude that there are countermovements to visible trends, that there are inventions which turn things upside down, that dictators rise in neighbouring countries, that people fall back on old behaviour patterns or that our grandchildren want to do things in quite a different manner than their parents. Nevertheless, it seems useful constantly to keep in mind that whatever we do in our specific sector of activity, it is part of a whole and is therefore influenced by the changes happening around us.

LES SOCIETÉS EUROPEENNES ENTRE DIVERSITE ET CONVERGENCE

Propositions pour l'approfondissement de l'approche

comparative dans les études européennes[1]

Prof. Dr. Robert PICHT

---

[1] Une première partie de ce bilan a été réalisée au printemps 1991 pour le Conseil de l'Europe sous le titre «*L'Europe mal connue*».

Plan du texte:

I. La sociologie comparée de l'Europe : un terrain à haute complexité

1. L'Europe en mutation
2. Les spécificités nationales: une réalité culturelle mouvante
3. Sciences sociales empiriques et anthropologie culturelle:la double dimension des études européennes

II. Bilan 1992: moyens d'information, publications et méthodes de recherche

1. Une mosaïque de données disparates
2. «Euroscopie» et «Atlas» européens
3. Histoire générale et sociale
4. Famille et démographie
5. Synthèses politiques et sociologiques
6. Qui gouverne en Europe ?
7. L'incompréhension des spécificités culturelles: un obstacle à la coopération européenne
8. La comparaison des systèmes d'éducation

III.Propositions

1. Education et formation: l'initiation à la comparaison internationale
2. Intensifier et valoriser la recherche
3. Dossiers de sociologie européenne

Bibliographie

«La société française sait aujourd'hui que les images qu'on lui a données d'elle-même ne sont que des vieilles photos retouchées... Cet aveuglement ne peut pas durer. Les sciences sociales ont la responsabilité de déchirer les discours opaques et de laisser entrer la lumière qui permettra à la société française de voir son propre visage, bien différent des souvenirs maintenant lointains qu'elle en a conservés. Mais elle ne pourra le reconnaître qu'en le comparant à ceux de ses frères et soeurs d'Europe qui vivent la même histoire, car le sens de notre situation ne peut être compris qu'à travers les différences entre les réponses que nous apportons aux mêmes questions».

Alain Touraine[2]

I. La sociologie comparée de l'Europe: un terrain à haute complexité

Les études européennes, telles qu'elles se sont développées parallèlement au processus de l'intégration de la Communauté Européenne depuis les années 50, donnent la priorité aux questions économiques, juridiques, administratives et à l'étude des institutions. Leurs thèmes correspondent essentiellement aux besoins politiques et techniques immédiats de la construction européenne et à un concept assez technocratique de la formation des cadres européens. Jusqu'à une période assez récente, une vue d'ensemble de l'histoire européenne, tout en faisant l'objet de voeux pieux ritualisés, en était aussi absente qu'une analyse approfondie de l'évolution des réalités socio-culturelles. Celles-ci n'étaient évoquées que sous le terme,

---

[2] Dans Schnapper, Dominique/Mendras, Henri (Eds.): *Six manières d'être Européen*. Paris: Gallimard, 1990, p. 170 s.

également ritualisé, de la «*diversité culturelle*» considérée comme une richesse à conserver sans trop savoir en quoi celle-ci consiste concrètement au-delà de la multiplicité des langues et des traditions.

1. L'Europe en mutation

Le fait que l'évolution des sociétés européennes et leur transformation rapide à la suite de bouleversements technologiques, économiques et de l'ouverture des frontières fait depuis peu l'objet de préoccupations de plus en plus intenses, est la meilleure preuve que l'Europe, c'est-à-dire un espace d'interactions multiples qui remettent en question le cadre habituel des traditions nationales, devient une réalité. Elle commence à toucher les sociétés européennes au coeur même de leur identité.

Ce processus ne se limite pas au cadre de la Communauté Européenne: celle-ci se voit elle-même entraînée par un processus d'internationalisation économique qui affecte profondément non seulement les industries et leur marché, mais aussi les structures sociales et politiques et les modes de vie des populations.

En même temps, l'implosion des régimes communistes et la disparition du rideau de fer ont rappelé le fait que l'espace européen ne s'arrête pas aux limites des Etats hautement industrialisés de la Communauté Européenne et de l'AELE mais que les sociétés européennes sont profondément affectées par les évolutions, les déstabilisations et les migrations prévisibles en Europe centrale et orientale, de même que par les pressions et les flux migratoires en provenance du Sud méditerranéen.

L'Europe des années 90 ne pourra donc devenir une «*forteresse Europe*» sous forme d'une construction étatique homogène. Les difficultés de mise au point et de la ratification des accords de Maastricht nous rappellent les obstacles et les réticences devant une telle hypothèse simplificatrice. Cependant l'Europe se présente d'une manière assez différente de l'idée d'une «*Europe des patries*» où les Etats délèguent certaines compétences à des institutions communes pour permettre l'ouverture des marchés sans que cela affecte leur nature profonde. En réalité, le processus des transformations politiques, technologiques et économiques a atteint le point où il entraîne une mutation des sociétés concernées qui commencent à la ressentir avec étonnement et parfois avec angoisse. Cette évolution ne manquera pas d'avoir des répercussions politiques à tous les niveaux.

Il est donc grand temps d'en prendre connaissance et - pour utiliser la formule d'Edgar MORIN - de ne pas seulement *«Penser l'Europe»* mais de s'intéresser à l'homme européen dans sa condition sociale et culturelle.

2. Les spécificités nationales: une réalité culturelle mouvante

Identité, pluralité, mutation: autant de formules magiques qui concernent des réalités mal discernées. Comment délimiter les espaces? Quels sont les rapports entre le domaine individuel, familial, social, local, régional ou national? Où entrons-nous dans la dimension transnationale, européenne ou internationale? A la regarder de plus près, l'Europe s'avère un espace à haute complexité.

Tout en subissant des influences internationales analogues et des interactions de plus en plus intenses entre eux, les pays européens sont cependant loin de devenir uniformes. De puissants facteurs historiques et structurels empêchent la formation d'une société européenne homogène. On ne commence qu'à mesurer la portée d'éléments à la fois culturels et sociaux, comme par exemple les différences entre les systèmes d'enseignement qui constituent certes une difficulté mais aussi une des richesses principales de l'Europe.

Cependant la réalité sociologique européenne est plus et autre chose que la simple addition de données nationales qui juxtaposées cachent souvent les évolutions transnationales. Pour comprendre l'Europe en mutation, il faudra mettre en évidence à la fois les tendances communes et les spécificités nationales et régionales. Pour être utile, une sociologie de l'Europe devra donc procéder à la fois d'une manière globalisante en essayant de comprendre des évolutions communes à plusieurs pays européens et d'analyser en même temps d'une manière comparative les différences qui subsistent entre les entités nationales ou même régionales.

Ces différences ne concernent pas seulement les faits mais également leur perception, leur interprétation et les conséquences idéologiques et politiques qui en sont tirées. Une sociologie de l'Europe n'aura donc d'impact véritable que si elle comporte une analyse comparative des manières d'interpréter les évolutions socio-économiques et culturelles. Dans la mesure où l'Europe change, les images que s'en font les Européens se transforment sans conduire nécessairement à une convergence des vues et des comportements.

C'est dans cette multiplicité de dimensions que consiste l'intérêt et la difficulté particulière de la sociologie de l'Europe. Elle cumule d'une certaine manière les problèmes méthodologiques que pose déjà toute analyse des sociétés nationales. Cependant la nécessité de comparer et de transgresser les frontières établies ouvre la possibilité de mieux comprendre des structures et des mécanismes qui, considérés comme «normaux», ne sont souvent pas suffisament analysés dans les études mononationales.

A travers l'étude comparative de plusieures sociétés européennes qui se trouvent dans un processus de mutation et d'interaction simultané, l'analyse sociologique se voit elle-même obligée d'innover. Elle prendra ainsi conscience d'un fait, à savoir dans quelle mesure structures et comportements nationaux sont le résultat de choix et d'évolutions spécifiques dont l'explication ne peut être qu'historique et culturelle. Dans son application à l'Europe contemporaine, elle permettra donc de préciser cette notion de *«culture»* elle-même assez nébuleuse.

3. Sciences sociales empiriques et anthropologie culturelle: la double dimension des études européennes

L'étude comparée des sociétés européennes oblige ainsi à combiner les approches traditionnelles des différents domaines des sciences sociales qui ont tendance à isoler certains secteurs spécifiques d'une société comme la démographie, les relations du travail ou les systèmes d'éducation avec les approches plus globales de l'anthropologie culturelle qui essaie de saisir la logique de l'interaction entre ces différents domaines telle qu'elle a été définie par exemple par KLUCKOHN: «Prise dans son acception anthropologique, la culture se réfère à un genre de vie défini propre à un groupe d'individus déterminé et, si l'on préfère, à l'ensemble de leur "projet de vie».[3]

Tout en respectant les dimensions de l'approche globale qu'implique un concept aussi stimulant que celui de *"projet de vie"*, l'analyse et les propositions suivantes se limitent au domaine proprement sociologique (aux contours certes incertains) et ne prennent en considération que des domaines importants, sans doute d'une portée culturelle considérable comme le prouve l'immense production d'études historiques spécialisées, que sont l'histoire des idées et de l'art, et la production artistique et intellectuelle de l'Europe contemporaine. Elles ne tiennent compte du débat philosophique sur les problèmes d'identité que d'une manière implicite.[4] Elles n'impliquent les études réalisées dans le domaine des sciences économiques et politiques que dans la mesure où celles-ci contribuent à une meilleure compréhension de l'évolution des sociétés européennes.

---

[3] Kroeber, A.L., Kluckohn, C.: *Culture, a Critical Review of Concepts and Definitions,* New York, 1963, p. 276. Une bonne synthèse de la discussion méthodologique se trouve dans: Neidhardt, Friedhelm U.A. (Hrsg.): «Kultur und Gesellschaft», *Kölner Zeitschrift für Soziologie und Sozialpsychologie,* Sonderheft 27/1986, Köln, 1986, et dans Soeffner, Hans-Georg (Hrsg.): «Kultur und Alltag» *Soziale Welt.* Sonderband 6, Göttingen, 1988. Redécouvert pour une approche philosophique de la diversité culturelle: Cassirer, E., *Versuch über den Menschen. Einführung in die Philosophie der Kultur.* Frankfurt 1990.

[4] L'état de la discussion a été présenté de façon assez exhaustive à l'occasion du colloque organisé par le Centre de Philosophie du Droit de l'Université catholique de Louvain et la Cellule de prospective de la Commission des Communautés européennes à Bruxelles, du 23 au 25 mai 1991. Une synthèse est publiée par Lenoble, J. et Dewandre, N. (eds.). *L'Europe au soir du siècle. Identité et démocratie.* Paris : Editions Esprit 1992.

Ayant avant tout pour but pratique une meilleure formation et information européennes, l'analyse et les propositions s'intéressent en priorité aux publications de synthèse et à l'intégration des thèmes socio-culturels dans une formation européenne générale, et ne tiennent compte qu'en deuxième lieu des publications et des institutions hautement spécialisées dans ces domaines spécifiques. Devant une réalité et une production scientifique en évolution rapide, ce rapport ne peut avoir que le caractère d'un *work in progress,* inévitablement incomplet, qui essaie d'indiquer des orientations et des critères d'évaluation pour des recherches et des activités ultérieures.

De même, nous avons dû renoncer à établir un bilan analogue pour les sociétés postcommunistes de l'Europe centrale et orientale qui se trouvent en plein bouleversement.[5] Dans ces pays, les données, même les plus élémentaires, sont incertaines, les structures sociales provisoires, l'économie entre la faillite progressive et des transformations hésitantes, les sentiments nationaux exacerbés sans que l'on puisse prévoir la portée véritable de ces nouveaux nationalismes, les sentiments troublés et la réflexion politique et culturelle d'autant plus intéressante que les intellectuels ne cherchent pas de nouvelles certitudes, mais la remise en question même de leurs propres espoirs. L'introduction aux réalités du postcommunisme devrait donc procéder d'une toute autre manière que la présentation des sociétés relativement structurées et stables de l'Europe occidentale. Etudier les sociétés postcommunistes sera donc un autre projet pour lequel l'apport des intellectuels et des écrivains serait précieux. Il conviendrait cependant d'intégrer des spécialistes en provenance d'Europe centrale et orientale dès le début dans les projets proposés dans ce rapport.

---

[5] Voir par exemple: Rupnik, J., *L'autre Europe*, Paris, 1990; Dahrendorf, R., *Betractungen über die Revolution in Europa*, Stuttgart, 1990; Moïsi, D., Rupnik, J., *Le nouveau continent. Plaidoyer pour l'Europe renaissante*, Paris, 1991; Lesourne, J; et Lecomte, B., *L'Atlantique à L'Oural. L'après communisme*, Paris, 1990. Le débat actuel est documenté de la manière la plus complète dans la revue *TRANSIT*, Frankfurt, 1990, ss.

II . Bilan 1992: moyens d'information, publications et méthodes de recherche

Le bilan bibliographique suivant ne prétend pas saisir d'une manière exhaustive la multiplicité des publications existant dans les différents pays et langues européennes. Il présente une typologie des différentes approches en vue des finalités spécifiques d'une meilleure formation dans ce domaine.

1. Une mosaïque de données disparates

Dans l'introduction de leur récent ouvrage, *Six manières d'être Européen* (Paris, Gallimard, 1990), Dominique SCHNAPPER et Henri MENDRAS caractérisent l'état de la recherche et ses problèmes méthodologiques de la façon suivante: «Les recherches comparatives sont encore balbutiantes, parce que les classifications statistiques sont marquées par l'histoire sociale et intellectuelle, les taxinomies non concluantes, les parties scientifiques et les orientations théoriques aussi variées que des traditions nationales». (p. 10)

Le problème, en effet, n'est pas tellement l'absence de données et d'études, mais leur multiplicité disparate qui ne leur donne pas seulement un caractère hautement fragmenté, mais souvent contradictoire. Voulant étudier la société européenne, nous nous trouvons à la croisée entre les systèmes nationaux de recueillement et de traitement des données statistiques - elles- mêmes produit et expression de spécificités culturelles séculaires - et des instruments européens et internationaux de présentation de données, qui pour être comparatives, ont subi un traitement supplémentaire, c'est-à-dire un processus de standardisation, d'agrégation et de généralisation, qui n'est pas neutre non plus, car il correspond lui aussi à certains concepts particuliers de l'économie et de la société.

Nous savons à quel point des concepts comme le produit national brut, les catégories socio-professionnelles ou le chômage sont nécessaires aux comparaisons internationales, alors qu'elles ne correspondent que d'une manière fort approximative aux réalités sociales sous-jacentes, qui sont toujours différentes selon les pays, tout en exprimant une certaine idée de la structure et du fonctionnement des sociétés industrielles. Leur application standardisée à un ensemble historiquement aussi varié que l'Europe et aux problèmes de la société dite *postindustrielle* reste utile, mais nécessite des analyses complémentaires.

Il ne faut donc pas s'étonner si la multiplicité des sources statistiques (voir bibliographie) donne néanmoins une image assez confuse. Dès qu'on soulève des questions spécifiques, on a souvent grand mal à trouver les indications nécessaires. Cette disparité des données constitue un obstacle majeur même pour les analyses économiques de l'espace européen comme elles sont réalisées par exemple, dans le cadre de *l'IFO - Institut für Wirtschaftsforschung* - à Munich[6].

Pour remédier à cette défaillance, l'Université de Mannheim vient de créer dans le cadre du *Zentrum für Sozialwissenschaften*, un institut de recherches européennes sous la direction du Professeur Peter FLORA qui a établi depuis juillet 1990 un centre de documentation et une banque de données. Il recueillera les résultats des statistiques publiques et para-publiques internationales et nationales dans les domaines suivants: démographie; structures sociales; famille; emploi; habitat; santé; éducation; sécurité sociale; revenus et salaires; consommation; économie; finances publiques; partis politiques; élections; parlements. Cette documentation se concentre essentiellement sur les pays de l'Europe occidentale tout en intégrant des données en provenance de l'Europe centrale et orientale, du Japon et des Etats-Unis.

Un de ses premiers projets sera l'établissement d'un Atlas social des régions de l'Europe occidentale qui utilisera les méthodes de la cartographie par ordinateur pour présenter une analyse différenciée des conditions de vie en Europe occidentale. Il est intéressant de constater quels sont les domaines où l'équipe du Professeur FLORA estime qu'un tel projet paraît facilement réalisable et où elle pense rencontrer des difficul-

---

[6] Voir la synthèse de ses travaux : "Die neuen Stars der alten Welt", *Manager-Magazin*, 3/1990, p. 204-233

tés. Sont considérées comme accessibles: les données démographiques; les structures familiales; l'habitat; les structures des villes; l'emploi; les biens durables; l'enseignement supérieur; la mortalité et l'infrastructure médicale; les macrodonnées écologiques et certaines actions communautaires comme les aides à l'investissement et le fonds régional. Posent problèmes, par contre, des questions comme le degré d'urbanisation; les structures sociales; le chômage; les revenus agricoles; les structures industrielles; les revenus et les inégalités sociales; les impôts; l'enseignement secondaire; les femmes; les retraites et l'aide au chômage; les causes de mortalité; les règlements concernant l'environnement et, dans le secteur communautaire, le rôle des Fonds sociaux et agricoles. Plus incertaine encore est la situation concernant l'infrastructure urbaine, la structure des impôts et des dépenses publiques, les besoins d'aide sociale.

On constate donc une difficulté d'autant plus grande que les questions deviennent qualitatives et concernent le tissu vivant des sociétés concernées. L'institut de Mannheim se limite consciemment au recueillement des données statistiques fiables; il a décidé de ne pas s'aventurer trop loin dans leur interprétation qui nécessiterait une coopération avec des spécialistes d'autres disciplines et notamment l'analyse des contextes nationaux dans lesquels ces données peuvent avoir des significations spécifiques.[7]

D'une grande utilité sont également les travaux cartographiques du RECLUS de Montpellier. Henri MENDRAS développe à Poitiers le projet d'un *observatoire européen*.

2. «*Euroscopie*» et «*Atlas*» européens

Malgré ces difficultés, c'est surtout en France qu'ont été publiés récemment, toute une série d'ouvrages de synthèse qui

---

[7] Voir le rapport de Joachim Schild. *Vergleichende Länderforschung und Europäische Integration. Stand und Entwicklungsmöglichkeiten in der Bundesrepublik Deutschland.* 27. - 29. Juni 1990. Ludwigsburg : Deutsch-Französisches Institut, 1991.

essaient de présenter d'une manière synoptique à la fois les évolutions communes des pays de l'Europe occidentale et des données comparatives. Nous allons présenter les plus importants de ces ouvrages non pas sous forme de comptes-rendus exhaustifs mais sous un point de vue méthodologique pour vérifier dans quelle mesure ils correspondent aux besoins d'information et de formation dans l'Europe en mutation.

Le plus exhausif de ces ouvrages et qui fait un ample usage de données statistiques multiples est l'ouvrage de Gérard MERMET: *Euroscopie. Les Européens: Qui sont-ils? Comment vivent-ils?* (Paris: Larousse, 1991). Tout en élargissant la méthode éprouvée de ses «francoscopies» à d'autres pays européens, MERMET dépasse ici la simple opposition de données nationales pour essayer de capter des tendances transnationales qui ne correspondent plus aux découpages des Etats traditionnels. Cet ouvrage servira longtemps d'ouvrage de référence.

MERMET est pleinement conscient des problèmes méthodologiques et des limites des constatations qui peuvent être obtenues par la compilation de données statistiques. Bien que révélateurs, à travers la comparaison internationale - dans laquelle MERMET inclut, dans la mesure du possible, les Etats-Unis et le Japon - et à travers l'évolution dans le temps de tendances de développements parallèles ou divergents, les chiffres ne permettent cependant pas d'évaluer l'impact des différentes données choisies sur le système complexe des sociétés nationales, des groupes sociaux et des individus. Cet impact ne saurait être mesuré même par les calculs de corrélation les plus sophistiqués, car il implique tant de facteurs d'évaluation non quantifiables, c'est-à-dire de traditions culturelles, qu'il faudrait compléter l'analyse quantitative par d'autres instruments d'interprétation.

Deux exemples: à travers une série de variables démographiques et économiques, MERMET établit ce qu'il appelle la «vraie carte de l'Europe» (p.8). Celle-ci constate des typologies économiques et des centres de gravité qui ne correspondent plus aux frontières traditionnelles des Etats nationaux. Elle mériterait une réflexion historique approfondie, car elle correspond en partie à des structures antérieures à la formation des Etats nationaux. MERMET décrit cependant lui-même le champ dialectique dans lequel il faudrait situer de tels résultats: «Les découpages supranationaux obtenus par l'étude et visualisés sur la carte n'ont pas la prétention de remplacer les frontières nationales! Ils ne tiennent pas compte de tous les critères qui font la véritable unité d'un pays (histoire, langue, savoir-vivre etc.). Mais ils ont le mérite de montrer qu'il existe des zones géographiques qui débordent les Etats et qui ont des caracté-ristiques économiques et sociales semblables. Cette carte ne constitue donc pas une provocation, mais une vision complé-mentaire de la carte traditionnelle, basée sur un certain nombre de réalités statistiques». (p. 9)

Constatation analogue pour les indicateurs qui permettent de classer les critèresmatériels du bien-être. «Si la détermina-tion du produit national brut d'un pays est une opération courante, on imagine beaucoup plus difficilement le calcul de son «bonheur national brut». Seul une enquête approfondie auprès des personnes concernées peut permettre d'approcher ce problème, avec toutes les réserves quant à la validité des sondages dans ce domaine. (...) Ce qui prouve bien, si besoin était, que le bonheur, s'il n'est plus, fort heureusement, "une notion neuve en Europe" (SAINT-JUSTE), reste une notion individuelle et subjective». (p. 16 et 18)

MERMET utilise aussi avec pédagogie et humour l'infor-mation ponctuelle concernant des records de toute sorte, la fréquence des chiens et des chats, des espèces de saucisses ou la façon de préparer la morue. A cette fin, il puise dans un fonds de données jusqu'ici difficilement accessibles: les études de marketing et de publicité, qui sont en même temps une descrip-tion de l'évolution des modes de vie et des goûts des Européens dont des études antérieures, comme celle de SCARDIGLI[8] ne rendaient compte que d'une manière limitée par le manque de données.

---

[8] Scardigli, W.: *L'Europe des modes de vie.* Paris : C.N.R.S. 1987.

C'est en effet dans ce domaine que l'étude de MERMET est la plus novatrice grâce à la coopération avec SECODIP, une grande entreprise d'études de marché et de publicité. L'"Euroscopie" se veut cependant beaucoup plus qu'un immense recueil de curiosités surprenantes ou amusantes, qui assurera son succès.

MERMET présente un bref survol de l'histoire qui essaie de mettre dans leur contexte la multiplicité des nations européennes et dont Rainer HUDEMANN tire des conclusions qui constatent à la fois une convergence de plus en plus forte, des évolutions analogues mais aussi le poids des histoires nationales: «La volonté politique seule ne suffit pas à surmonter des barrières ancrées dans l'histoire. Dépasser la logique de l'Etat national demandera encore un effort considérable aux Européens, alors même que cette logique connaît un nouvel essor dans le tiers-monde. Le volontarisme communautaire ne pourra aboutir que s'il croise les intérêts objectifs des différentes nations européennes». (p. 45)

Le chapitre géographique met l'accent sur les problèmes écologiques et la dépendance de l'Europe en matières premières. Résolument comparatifs sont aussi les chapitres consacrés aux Etats où la synthèse de Constantin SOUKLAS plaide pour la même prudence méthodologique: «Les traditions démocratiques n'expliquent pas tout. Il paraît probable que le degré observable de motivation et de participation politique reflètent des facteurs aussi difficilement quantifiables que la mesure dans laquelle les confrontations entre les partis correspondent à des clivages sociaux réels, l'existence et la puissance des partis représentant la classe ouvrière, l'intégration entre les structures régionales et nationales, les formes et les rythmes de l'urbanisation et le degré de développement économique et éducationnel». (p. 95)

C'est surtout le chapitre économique qui utilise la comparaison avec les Etats-Unis et le Japon pour montrer la spécificité de l'espace européen où le Marché Commun a tendance à réduire l'écart entre les nations tout en aggravant les décalages entre des régions particulières. La plus grande partie du volume est consacrée à *l'homme européen* et comporte les chapitres démographie, santé, culture, instruction, famille, foyer, consommation, société, travail, argent, loisir. On y trouve une foule d'indications intéressantes dont la mosaïque permettrait d'analyser plus en profondeur l'état des pays concernés sans que ceci soit l'ambition d'un tel ouvrage additif. Les traits caractéristiques des différents pays sont condensés à la fin du volume avec des indications essentiellement statistiques, quelques dates historiques, sans que celles-ci fassent l'objet d'interprétations nationales ou comparatives. Là encore, la présentation des problèmes est plus différenciée que l'avalanche des données.

C'est ainsi que Bernard PREEL formule à partir d'une analyse des loisirs, la problématique générale qui reste à approfondir: «Quant à l'Europe, malgré les forces d'uniformisation qui se déploient avec les voyages, la musique et les films, ses particularités culturelles, géographiques et climatiques sont telles dans un domaine aussi sensible aux variations locales, que même les découpages par pays s'avèrent trop grossiers. Bien que les Européens eux-mêmes soient convaincus que leurs ressemblances dépassent souvent leurs appartenances nationales, ces dernières ne sont pas (encore) invalidées pour fonder une analyse typologique, comme celle que nous proposons avec deux axes: l'un pour les comportements, l'autre pour les opinions (...). Ce qui frappe dans les réponses données par les Européens, c'est qu'en dépit d'une culture du "souci de soi" les loisirs paraissent répondre à leur désir de nouer ou renouer des relations avec les autres et d'abord avec leurs proches. Les parents et les amis, ces cercles de vie sociale importent davantage que la nature (pourtant valorisée chez les urbanisés du Nord), la culture ou le sport. Dans une société solitaire et plus particulièrement aux tournants de la vie, les loisirs participent à cette recherche, souvent maladroite et inaboutie d'une relation avec autrui, avec l'extérieur dont la télévision n'est sans doute qu'un ersatz technique». (p. 363)

L'accumulation de données présentées par MERMET et les quelques chapitres synthétiques rédigés par différents auteurs confirment donc la nécessité d'accompagner toutes analyses statistiques ou institutionnelles par des commentaires et des documents supplémentaires qui permettent de les situer dans leur contexte historique spécifique à la fois social, national ou régional. Chaque constatation ponctuelle est le produit d'une histoire et d'interactions dont il faut connaître les éléments essentiels pour pouvoir l'évaluer et la situer d'une manière appropriée. Nous serons capables de comprendre et d'influencer les mutations de l'Europe que si nous saisissons de quelle manière elles affectent les structures et les traditions spécifiques dans nos différents pays.

Ces remarques méthodologiques concernent encore plus une autre présentation de données comparatives: Henri MENDRAS et Frédéric REILLER : *Atlas. 340 millions d'Européens,* (Paris, Ramsay 1990). Cet ouvrage plus réduit et donc plus accessible pour l'utilisation par des étudiants, présente des tableaux et des cartes sur les grands chapitres d'une sociologie de l'Europe: population; structures familiales et sociales; économie; nature - agriculture - environnement; Etat - institutions - administrations; vie quotidienne et modes de vie; religion - valeurs - cultures politiques. Les commentaires sont d'une simplicité visiblement consciente et font abstraction de toutes complications méthologiques, tout en arrivant à des conclusions assez analogues à celles d'*Euroscopie*. Il s'agit donc d'un ouvrage d'initiation, sous-produit du volume *Six manières d'être Européen* qu'Henri MENDRAS a publié en coopération avec Dominique SCHNAPPER (Paris, 1990).

Même dans sa version simplifiée, cet Atlas dépasse son propre mode de présentation posant les questions auxquelles il ne saurait répondre: «En effet, chaque peuple conserve ses traditions, ses moeurs et ses coutumes, en fonction desquelles il accepte ou rejette les innovations sociales, et les transforme le plus souvent pour les intégrer à son système social et lui garder ainsi son originalité. (...) En effet, le rapport entre le culturel et le politique, l'économique et le culturel, est en train de se modifier profondément: les Européens sont devenus trop riches pour continuer à voir dans la technique et l'économie les sources de tout progrès. A nouveau, les idées, les valeurs et les modes de vie vont orienter le devenir des sociétés et s'imposer aux systèmes productifs, en même temps que la sphère du politique perdra sa dimension purement nationale». (p. 188 s.)

Une autre tentative de présentation de données fondamentales à l'usage des étudiants est l'ouvrage de Régis BENICHI, Marc NOUCHI *et al.*: *Le livre de l'Europe. Atlas géopolitique.* (Paris, Stock - Edition 1, 1990). Cet ouvrage organisé selon la tradition française de la géographie humaine essaie également de résoudre le problème de la mise en relation des évolutions nationales et européennes par une simple opposition. Dans la première partie, il présente une série de portraits des différents pays de l'Europe communautaire. La deuxième partie du livre analyse avec certaines comparaisons avec les Etats-Unis et le Japon, des tendances communes à l'Europe occidentale. Cet ouvrage excellent dans ses chapitres économiques et dans sa présentation de l'intégration européenne, notamment dans le domaine institutionnel, reste très vague dans les apects socioculturels et n'essaie par exemple aucune analyse comparative approfondie des données démographiques. Il confirme ainsi la nécessité d'introduire ces thèmes d'une manière plus cohérente dans les types de formation auxquels un tel livre pédagogique est destiné.

Une bonne collection des données statistiques présentée sous forme de tableaux et de graphiques lisibles pour un large public a finalement été produite par la Commission elle-même sous le titre *EUROSTAT: A social portrait of Europe.* (Luxembourg: Office for Official Publications of the European Communities 1991). Elle traite un large éventail de sujets comme population, éducation, emploi, conditions de travail, niveau de vie, protection sociale, santé, environnement, logement, loisirs et "Europarticipation" sans commentaire approfondi. L'interprétation des données statistiques reste donc à la discrétion de l'utilisateur.

3. Histoire générale et sociale

Toutes les tentatives d'établir des comparaisons synchroniques entre les différents éléments des socié tés européennes contemporaines conduisent inévitablement à l'importance de références historiques qui ne sauraient se limiter à l'histoire de l'unification européenne depuis la deuxième guerre mondiale, mais qui doivent faire appel à des évolutions de très longue durée, au-delà même de la genèse des Etats nationaux. La sociologie de l'Europe a donc besoin d'une histoire de l'Europe bien diff rente des histoires nationales traditionnelles.

Pour pouvoir intégrer les dimensions culturelles qui devraient faire l'objet d'une anthropologie culturelle de l'Europe, celle- ci devrait dépasser également les thèmes habituels de l'histoire sociale basée sur des études plus ponctuelles de certaines évolutions économiques et sociales. Au niveau national, certains historiens ont fait de telles tentatives comme par exemple, Fernand BRAUDEL avec son ouvrage *L'identité de la France 3 vol.* (Paris 1986), ou Thomas NIPPERDEY avec son étude sur l'Allemagne dans sa première période d'unification: *Deutsche Geschichte 1866- 1918. Band I: Arbeitswelt und Bürgergeist.* (München 1990).

On manquait cependant de grandes synthèses sur l'histoire européenne dans son ensemble qui dépassent soit la simple addition d'histoires nationales soit des discours à finalité idéologique destinés à défendre des projets politiques ou culturels comme, par exemple, la renaissance de l'empire carolingien sous le signe de la démocratie chrétienne.

Ce n'est pas un hasard, mais le signe de l'actualité croissante des questions qui concernent l'interaction complexe entre les entités nationales et l'Europe en voie de création, que l'on a vu paraître presque simultanément deux synthèses majeures qui essaient d'intégrer l'ensemble de l'histoire européenne: Jean- Baptiste DUROSELLE*: L'Europe, histoire de ses peuples.* (Paris: Perrin 1990), *et* Krzysztof POMIAN: *L'Europe et ses nations. (*Paris: Gallimard 1990).

Ces deux ouvrages traitent la même thématique mais ne se distinguent pas seulement par le volume et la présentation mais aussi dans leur démarche méthodologique. Les deux sont assez convaincants dans leur approche spécifique et pourraient être utilisés d'une manière complémentaire: DUROSELLE pour la richesse du récit, du matériel, des illustrations et des cartes,

POMIAN pour la précision de son analyse qui privilégie la présentation dialectique des forces en présence et des problèmes à résoudre à un moment donné. DUROSELLE tente surtout de démontrer à quel point l'histoire européenne repose sur une communauté fondamentale, il procède d'une manière descriptive et présente dans sa démonstration des chapitres difficilement accessibles de l'histoire des églises et des idées. POMIAN ne considère pas l'idée européenne comme a priori acquise, mais analyse l'histoire de l'Europe comme un processus dialectique entre forces convergentes et divergentes.

DUROSELLE comme POMIAN considèrent que l'Europe se trouve actuellement pour la troisième fois dans son histoire sur la voie de l'unification, les deux premières ayant été essentiellement des mouvements culturels et sprituels, qui avaient réussi à imposer aux élites européennes une démarche intellectuelle et un style commun malgré l'éclatement politique et économique: le moyen-âge latin et la république des lettres de l'humanisme et des lumières. Plus que DUROSELLE, POMIAN fait cependant apparaître la permanence des spécificités nationales et des forces discordantes. L'actuelle unification de l'Europe présente une image contraire: économique et politique, elle n'a pas encore conduit à cette intensité des échanges intellectuels qui caractérisent les deux premières. L'échange des idées ne suit plus celui des marchandises.

Dans les deux ouvrages, le regard sur l'Europe dans son ensemble fait apparaître encore plus clairement le fait que toute tentative d'interpréter les réalités nationales, régionales et locales contemporaines ne saurait se limiter à l'histoire moderne. Les frontières et la résurgence de régions transnationales, comme de nombreux phénomènes économiques, sociaux et culturels ont des racines beaucoup plus anciennes, qui continuent à déterminer des évolutions apparemment modernes.

Tout en ne traitant pas directement des questions d'une sociologie de l'Europe contemporaine, les deux ouvrages indiquent l'horizon dans lequel celle-ci devrait chercher des explications historiques. Pour en être capable, l'analyse empirique et la comparaison des différentes perceptions nationales et méthodologiques devraient pouvoir retracer d'une manière plus précise, dans le contemporain, les traces de l'histoire et leur influence précise. Trop souvent, l'explication historique ne prend que la forme d'une évocation symbolique de traditions que l'on pense retrouver sans savoir sous quelles formes elles ont pu imprégner l'esprit et le comportement d'hommes qui n'en possèdent aucune conscience.

Une autre approche pour saisir la spécificité sociologique de l'Europe à travers ses disparités nationales qui, regardées de trop près, risquent de cacher des évolutions communes, consiste dans la comparaison de données européennes avec d'autres pays industrialisés notamment avec les Etats-Unis et le Japon. Dans cette perspective, on constate que les pays européens ont beaucoup plus en commun qu'on ne le pense et que leurs convergences se sont accélérées et approfondies au cours du dernier siècle. C'est le message du livre de Hartmut KAELBLE: *Auf dem Weg zu einer europäischen Gesellschaft. Eine Sozialgeschichte Westeuropas 1880-1980.* (München: Beck 1987). A travers les chapitres: famille, structures de l'emploi, entreprise, mobilité sociale, inégalité sociale, urbanisme et qualité de la vie, protection sociale et conflits de travail, KAELBLE montre l'évolution d'un *«projet de vie»* européen, qui pourrait être résumé par le slogan certes trop schématique de *social-démocratisation*. Malgré l'industrialisation, l'Europe essaie de maintenir certaines traditions sociales et culturelles telles qu'elles se manifestent dans la structure des villes ou dans la manière de vivre les différenciations socioculturelles.

Cependant, l'ouvrage de KAELBLE rend manifeste la difficulté des problèmes méthodologiques d'une telle histoire sociale comparée. Il part de données statistiques condensées et traitées de telle façon qu'elles permettent effectivement les comparaisons en vue desquelles elles ont été élaborées. Il faut cependant se demander si ce procédé ne fait pas disparaître une bonne partie des différences substantielles qui continuent à exister entre les pays européens et qui sont d'une importance primordiale dès qu'il s'agit de promouvoir une meilleure compréhension et coopération entre elles. La question décisive pour l'avenir de l'Europe que KAELBLE élude en utilisant d'une manière non différenciée les termes de similitude et de convergence, est la question de savoir si une plus grande ressemblance des structures sociales entraîne une plus grande proximité des comportements et des finalités. KAELBLE est lui-même conscient du problème: «Il ne faut pas se faire d'illusion: la convergence croissante des sociétés européennes n'entraîne pas d'elle-même une communauté politique européenne. Du point de vue d'une histoire de la longue durée, les structures et les cultures politiques de l'Europe paraissent posséder des forces de résistance au changement et à l'inté gration, beaucoup plus fortes que l'économie et les sociétés européennes». (p. 159)

Pour mieux vérifier ce problème qu'il n'est possible d'analyser que dans une vaste comparaison multilatérale, Hartmut KAELBLE s'est concentré dans un ouvrage postérieur sur la comparaison bilatérale franco- allemande: *Nachbarn am Rhein. Entfremdung und Annäherung der französischen und deutschen Gesellschaft seit 1880.* (München: Beck 1991). En analysant des domaines choisis - l'évolution économique et ses conséquences; famille; classes supérieures; conflits de travail et organisation syndicale; protection sociale - et ne prétendant pas à une interprétation des deux sociétés dans leur ensemble, il constate à nouveau une grande convergence. Elle est d'autant plus remarquable qu'il y a un siècle la France et l'Allemagne se trouvaient sur des voies de développement fondamentalement divergentes. Au-delà de certaines lacunes de détail qui négligent dans les domaines de la famille, de l'entreprise et de la formation des élites les différences proprement culturelles, la question centrale reste ouverte. Elle est de caractère politique: est-ce qu'une plus grande ressemblance de certaines structures sociales conduit, par la force des choses, à une meilleure cohésion européenne? Est-ce-que celle-ci pourra résister à la pression des crises futures? Dans quelle mesure le cadre national constitue-t-il encore le système de référence approprié pour l'analyse comparative des évolutions sociopolitiques? KAELBLE est conscient du problème méthodologique qui se pose dans les comparaisons bilatérales: «Il faudra éviter trois erreurs: dans une comparaison comme la nôtre, il y a toujours le danger de surestimer les différences parce que des pays encore beaucoup plus divergents en restent exclus. Avec sa pertinence mordante Bernard SHAW appelle ceci le "narcissisme de la différence". Mais il y a également le danger inverse de considérer des ressemblances et des convergences comme un phénomène franco-allemand particulier, qu'on les surévalue avec la meilleure intention comme signes d'une meilleure entente franco-allemande à laquelle on attribue une valeur idéologique». (p. 15)

4. Famille et démographie

L'ouvrage qui va le plus loin dans la recherche de déterminations anthropologiques profondes et qui est le plus sociologique de toutes les synthèses récentes sur l'Europe est le livre d'Emmanuel TODD: *L'Invention de l'Europe.* (Paris, Seuil, 1990). Il part d'une hypothèse anthropologique pour expliquer la genèse des diversités européennes jusque dans la vie politique contemporaine: «L'analyse des structures familiales et de leur distribution dans l'espace permet de saisir, à la source, la diversité européenne. (...) Les valeurs fondamentales de liberté ou d'autorité, d'égalité ou d'inégalité, qui stimulent, organisent, guident le mouvement de la modernité, sont enracinées dans ce terrain familial originel, substrat primordial, dont on retrouve la marque à toutes les étapes de l'ascension européenne. La diversité des systèmes familiaux permet d'expliquer la pluralité des réactions régionales à la Réforme protestante et à la Révolution française, la multiplication des types du socialisme et du nationalisme au XXe siè cle, les aptitudes inégales des zones géographiques à l'alphabétisation, à l'industrialisation, à la déchristianisation, à la contraception. (...) L'examen des évolutions sociales les plus récentes (...) révèle la permanence de certaines déterminations anthropologiques importantes». (p. 11 s.)

Dans son livre extrêmement documenté et riche d'un matériel cartographique précieux, TODD essaie de prouver cette hypothèse à travers l'histoire par une série de juxtapositions nationales et régionales particulièrement instructives, car la typologie des structures familiales ne correspond pas aux frontières modernes des Etats européens. Dans son parcours à travers l'histoire, TODD accumule un grand nombre d'observations d'autant plus intéressantes qu'il essaie de croiser l'évolution des structures familiales avec l'histoire économique et l'évolution de la religion et des idéologies. En même temps, TODD fait malheureusement la démonstration que l'obsession monocausale, la volonté de prouver à tout prix son hypothèse, ne peut pas seulement conduire à de terribles simplifications, mais à une vue stéréotypée des nations et des groupes sociaux europé en, qui aboutit au contraire de ce qu'une sociologie de l'Europe devrait rechercher: à l'incapacité de saisir les causes multiples qui conduisent à la transformation même des traditions les plus profondément ancrées. La tentation de l'explication monocausale par le stéréotype fige donc des caractères nationaux d'une manière tautologique: «Pour qui croit à l'importance du fait familial dans la détermination des idologies, l'homogénéité politique allemande n'est pas une surprise: elle est un simple reflet de son unité familiale, anthropologique. (...) L'un des traits frappants de la géographie idéologique de l'Allemagne est sa relative simplicité, particulièrement lorsqu'on la compare à celle de pays comme la France, l'Espagne ou l'Italie. Un seul type anthropologique occupe l'espace allemand, la famille souche (...) La simplicité idéologique de l'Allemagne découle de cette simplicité anthropologique». (p. 277 et 278)

Il faut donc à la fois féliciter TODD pour l'intérêt de son hypothèse qui permet d'interconnecter des éléments normalement séparés et de lier l'histoire de la longue durée aux réalités quotidiennes de la vie contemporaine, de la richesse de son matériel empirique et, en même temps, alerter contre un usage trop simpliste de ses données et de ses hypothèses qui commencent à être reprises dans d'autres «Atlas» européens comme des données acquises. Nous risquons de nous retrouver ainsi avec une *psychologie des peuples* de sinistre mémoire, porteuse de préjugés et contraire aux efforts de dépasser les oppositions sociales et nationales pour chercher dans un esprit pluraliste des *projets de vie* à l'échelle européenne. Nous assistons notamment partout à une remise en question des structures familiales et des valeurs sous-jacentes que TODD ne prend pas en considération.

Car toutes les considérations basées sur les structures traditionnelles de la famille ne tiennent pas compte de l'immense mutation qui touche l'homme européen dans son intimité la plus profonde. Dans son nouvel ouvrage *Quels pères? Quels fils?* (Paris 1992), Evelyne SULLEROT nous fait comprendre dans toute leur ampleur les bouleversements sociaux et culturels qui ont transformés en quelques décennies les rapports entre hommes, femmes et enfants et en conséquence les relations entre générations et la transmission des valeurs et des traditions. Elle confirme ainsi un diagnostic que le psychanalyste Alexander MITSCHERLICH avait déjà prononcé en 1963 dans son livre *Auf dem Weg zur vaterlosen Gesellschaft.* (Frankfurt 1963): «La disparition progressive du père est liée à l'essence même de notre civilisation». (p. 162)

Il s'agit d'une évolution à l'échelle européenne qui est accompagnée d'une chute brutale de la natalité qui frappe tous les pays européens quelles que soient leurs structures familiales traditionnelles, leur religion et leurs valeurs. Toutes les analyses comme par exemple l'étude publiée en France par le HAUT CONSEIL DE LA POPULATION ET DE LA FAMILLE: *Démographie et politique familiale en Europe.* (Paris: La Documentation Française 1990), soulignent le caractère profond et international de cette mutation: «L'Europe, comme d'ailleurs tout le monde industriel, connaît une profonde remise en question des moeurs familiales liées à des formes de vie sociale elles-mêmes en évolution, et qui s'est traduite sur le plan démographique par une certaine désaffection du mariage et une baisse de la fécondité des mariages comme hors des mariages. Tous les pays et tous les milieux sont affectés. Ce qui frappe c'est l'ampleur, la généralité du mouvement et le fait paradoxal qu'il a commencé en plein essor économique à un moment précis au milieu des années soixante, comme s'il s'était passé à cette date un événement qui échappe à l'observation, et qui aurait secoué une évolution douée d'une forte inertie comme l'est l'évolution démographique. Les experts sont divisés sur les causes du phénomène et sur son avenir possible, mais pour le moment ils ne perçoivent que de très faibles signes de redressement, et il paraît donc prudent de dire plutôt que l'Europe s'est installée pour peut-être plusieurs décennies dans une période de non-renouvellement de la population. Il y a certes des variations de faible amplitude qu'on ne s'explique pas, mais on aurait tort d'ergoter sur les différences et les décalages entre les pays. Le fait fondamental est que les comportements en matière de reproduction sont devenus à peu de chose près communs à tous les pays industriels, que ces comportements n'assurent plus le renouvellement, que pour le moment les signes de reprise sont fragiles, et que sans l'immigration la dépression démographique serait plus forte». (p. 39)

La même inquiétude apparaît dans un rapport de la COMMISSION DES COMMUNAUTES EUROPEENNES - Cellule de Prospective: *L'Europe dans le mouvement démographique* (Luxembourg: Office des Publications Officielles des Communautés Européennes, 1992):

«Les sociétés européennes ont toujours eu en commun la protection de la famille. La Communauté européenne peut faire siennes, de diverses manières, les voies nouvelles recherché es aujourd'hui pour manifester sa valeur sociale.

On sait que les politiques d'accompagnement du grand marché ont trouvé en définitive leur inspiration dans un modèle commun de société qu'elles entendent préserver ou promouvoir. De même, la part prise par la Communauté en tant que telle à la préparation du vieillissement ne peut que s'y référer.

Pour les sociologues, la famille en tant que cellule sociale, fait partie du modèle européen de société. Sa taille réduite, limitée à deux générations le plus souvent a toujours été une des caractéristiques singulières de ce modèle. Il en a résulté de tout temps une fragilité relative dans laquelle certains historiens voient une explication de l'importance de la protection sociale en Europe comparativement à la situation d'autres régions industrialisées.

Or la famille aujourd'hui, dans ses multiples modalités, reste un lieu essentiel de la vie sociale; sa nouvelle fragilité réside dans une instabilité dont les causes sont loin de refléter seulement des choix subjectifs. Cette instabilité affecte la capacité des familles à assurer la complémentarité des générations, particulièrement nécessaire dans le contexte du vieillissement». (p. 15)

Le parallélisme des évolutions ne signifie cependant pas une convergence vers un modèle unique de relations familiales ou tribales telles qu'elles apparaissent entre couples à divorces multiples et leurs enfants. Evelyne SULLEROT nous rappelle la subsistance de différences considérables notamment entre le nord et le sud de l'Europe: «Deux séries de facteurs vont déterminer les pères de demain :

- L'environnement sociologique et juridique dans lequel ils vont accéder à la paternité, en Europe occidentale du moins;
- La nature et la force de leurs aspirations. L'usage qu'ils feront des expériences qu'ils ont vécues comme enfants et adolescents, souvent séparés de leurs pères. Quels changements voudront-ils ? Quelles valeurs adopteront-ils ? Quelle volonté mettront-ils au service de la promotion de ces valeurs ?

L'environnement sociologique qui, dans une certaine mesure, conditionnera l'exercice de la paternité au début du XXIè siècle ne sera pas le même en Suède qu'en Espagne, en Irlande qu'en France». (p. 352 s.)

A la recherche d'une nouvelle affectivité, les jeunes ne manqueront pas de réagir à la dialectique de leurs expériences antérieures. A travers les mutations et les ruptures, l'histoire continue et avec elle la variété des modes de vie et des orientations psychologiques des Européens.

Dans le cahier spécial de *FUTURIBLES* consacré à la famille et aux problèmes démographique (N° 153, Paris: avril 1991[9]), Louis ROUSSEL attire notre attention sur le fait que

---

[9] Voir aussi le recueil de textes réunis par François de SINGLY: *La famille : transformations récentes. Problèmes politiques et sociaux 685*. Paris, La Documentation Française, 1992.

les mutations des relations affectives doivent être interprétées dans le contexte historique général: «En revanche, les désastres de notre siècle ne peuvent guère être interprétés suivant un sens récupérable par notre culture. Ils démentent tous l'idée d'un progrès nécessaire dont les conquêtes de la science offriraient une figure emblématique. Nous voyons de plus en plus d'ailleurs que notre monde ne fonctionne pas suivant les grandes idées gravées aux frontons de nos monuments. Ce n'est pas la fraternité qui définit les rapports entre nations, ni la vertu qui conduit à la réussite. Nous soupçonnons la vie publique d'être un simple spectacle, et ce qui se passe sur la scène, d'avoir pour fonction de masquer les manoeuvres de coulisse. A tort ou à raison, nous avons le sentiment de vivre dans un monde désormais désenchanté .

C'est à partir de cet environnement culturel qu'il faut comprendre l'évolution de la famille. Les changements que l'on y observe depuis 25 ans ne sont en somme qu'une réaction à un contexte social beaucoup plus large. Comment gouverner sa vie privée, et la famille qui en est l'espace privilégié, dans un univers sans repères fixes et sans avenir prévisible? Voilà l'énoncé du vrai problème. Le mieux n'est-il pas de gérer ses relations familiales «à vue», comme les hommes politiques le font pour les affaires publiques? Telle est la situation actuelle. Encore faut-il savoir si elle présente une forte inertie et s'inscrit dans ce que Fernand Braudel appelait «la longue durée». (p. 11)

5. Synthèses politiques et sociologiques

C'est le problème du rythme différent des transformations économiques, sociales et politiques qui suscite un nouvel intérêt pour les questions historiques, culturelles et sociologiques dans le cadre de récentes études consacrées au processus de l'intégration européenne.[10] Il apparaît notamment dans les deux synthèses publiées par William WALLACE: *The Trans-*

---

[10] Un ouvrage comme Weidenfeld, W./Wessels, W. (Eds.): *Handbuch der Europäischen Integration 1989/1990*, Bonn, 1990, reste cependant limité aux questions techniques de la coopération européenne.

formation of Western Europe. (London: Royal Institute of International Affairs 1990), et William WALLACE (Ed.): *The Dynamics of European Integration.* (London: Royal Institute of International Affairs 1990).

WALLACE attire l'attention sur le décalage entre les forces de retardement et les forces de mutation inhérentes au processus politique et économique:

> «Political, economic and cultural developments follow different timescales. (...) Europe's nations-states (...) are themselves relatively recent constructions, assuming their modern structure at most a century ago, and are affected by the same underlying economic, technical and social trends which are gradually reshaping Europe as a whole. (...) Social and cultural changes follow yet other timescales. The social evolution of Europe since 1945 has been marked by rising interaction across frontiers, under the impulse of radio, television, motorways and charter aircraft; while the impact of communication on attitudes has been delayed by the slow passage of assumptions from one generation to another; and limited in a geographical spread by the physical boundary between West and East. This cultural evolution has been marked by pronounced Americanization, or globalization of popular tastes. But it has been marked as well by a persistent desire, on the part of intellectuals and politicians, to differentiate between "Europe" and "America", which has found an echo in popular attitudes. Underneath, the Atlantic framework, the postwar West European order have lain cultural and historical images from previous eras (...) History and identity go together, both at the national and the European level». (*Transformation*, p. 2 ss.)

Là encore, il s'agit d'évaluer avec plus de précision les forces et les conséquences de la mutation:

> «Values and attitudes are not static. They have been shaped by experience and social learning, by mutual interactions over time, by the imagery and persuasiveness of intellectual and political leaders, and by shifts perceived in the external environment. The social integration of Western Europe has altered elite popular assumptions about one another's national identities and about the space and the culture which they share. (...) "Modern man is not loyal to a monarch or a land or a faith, whatever he may say, but to a culture." (*Transformation*, p. 33)

Mais les grandes difficultés consistent à saisir concrètement ces transformations que WALLACE évoque sans pouvoir les décrire:

> «But the experience of the past 30 years suggests that the relationship between political and economic developments is by no means as straightforward as the normative theorists of European integration were arguing in the optimistic years after the signing of the Rome Treaties. Politics follows its own logic, not simply those of economics and technology.» (*Dynamics*, p. 7) «Values, loyalties, shared identities are the stuff of political rhetoric, and of intellectual and cultural history. They are, however, the most difficult phenomena for social scientists to study. Economists prefer to exclude them altogether, substituting a model of rational man entirely motivated by calculations of interest. Political scientists and sociologists cannot take this conveniently reductionist way out. Authority, legitimacy, community, all moderate the naked pursuit of power and interest in societies and political systems; the strength or weakness of shared values tipping the scales between solidarity and disintegration when interactions appear to impose more burdens than benefits.»(p. 16)

Malheureusement, les études comparatives concernant les valeurs et la culture politique dans les différents pays européens restent loin derrière ces questions précises et urgentes mais dont la complexité réclame des réponses qui nécessiteraient une coop ration interdisciplinaire et internationale intensive. Les anciennes études sur la culture politique par ALMOND et VERBA et leur version postmoderne par INGLEHARTD sont fortement marquées par des concepts et des valeurs américaines[11]. Au niveau européen, les analyses comparatives s'arrêtent à l'évaluation du premier sondage d'opinions comparatif sur les valeurs des Européens présenté

---

[11] Almond, G.A./Verba, S.: *The civic culture. Political attitudes and democracy in five nations.* Boston/New York 1963, et Almond, G.A./ Verba, S. (Eds.): *The civic culture revisited.* Boston 1980. Inglehart, R.: *The silent revolution, changing values and political styles among western publics.* Princeton: Princeton University Press 1977. La nouvelle version Inglehart, R.: *Culture Shift in advanced industrial society.* Princeton: Princeton University Press 1990, pousse encore plus loin la tendance à la généralisation.

par STOETZEL et dans une autre manière par HARDING, PHILLIPS et FOGARTY[12]. Ce n'est que dans une monographie nationale que NOELLE-NEUMANN et KÖCHER ont essayé de pousser plus loin ce type d'analyse en intégrant des résultats de sondages dans l'histoire spécifique d'un pays[13]. Il faudra analyser de plus près les résultats de la deuxième enquête européenne sur les valeurs réalisées en 1990[14], qui pour être fructueux, ne devront pas se limiter à la seule évaluation des données démoscopiques, mais les mettre en relation avec d'autres mé thodes d'analyse comparative[15]. Les résultats des nombreux sondages d'*Eurobaromètre* et d'autres institutions sont certes intéressants, mais prêtent à toutes sortes de confusions, si on ne réussit pas à les mettre dans un contexte à la fois historique et social.

Il serait trop demander à un recueil de contributions de colloque comme celui présenté par Dominique SCHNAPPER et Henri MENDRAS: *Six manières d'être Européen* (Paris, Gallimard, 1990) de pouvoir résoudre tous ces problèmes. L'intérêt principal de l'ouvrage consiste dans le fait qu'il les pose d'une manière plus systématique. Le décalage entre le rythme et les conséquences de l'histoire économique et de l'évolution culturelle et politique apparaît d'une manière contradictoire dans les conclusions de Jean-Claude CASANOVA,

---

12 Stoelzel, J.: *Les valeurs du temps présent. Une enquête européenne.* Paris 1983. Harding, S./Philipps, D./Fogarty, M.: *Contrasting values in Western Europe.* Londres 1986.

13 Noelle-Neumann, E./Köcher, R.: *Die verletzte Nation. Über den Versuch der Deutschen, ihren Charakter zu ändern.* Stuttgart 1987.

14 Résumée dans Timms, Noel/Ashford, Sheena: *What Europe thinks; a values handbook.* Dartmonth: Gower House 1992. Une première analyse de Jan Kerkhofs se trouve dans Picht, Robert/Vandamme, Jacques: *A la recherche de l'identité européenne: Analyses et propositions pour le renforcement d'une Europe pluraliste.* Bruxelles. TEPSA 1991.

15 Voir le rapport de Joachim Schild. *Vergleichende Länderforschung und europäische Integration. Stand und Entwicklungsmöglichkeiten in der Bundesrepublik Deutschland. 27. - 29. Juni 1990.* Ludwigsburg: Deutsch-Französisches Institut 1991.

Bourgeoises et homogènes et de Dominique SCHNAPPER, *Le citoyen, les nations et l'Europe*. De son point de vue économique, Jean-Claude CASANOVA prévoit une inévitable uniformisation des sociétés européennes: «Les économistes ont observé depuis longtemps que les modes de consommation des populations européennes se rapprochaient de plus en plus les uns des autres; de même pour les niveaux de rémunération. Des populations disposant à peu près des mêmes revenus, ayant la même efficacité, adoptant progressivement des genres de vie semblables et se fournissant auprès d'entreprises dont la dimension dépasse la dimension nationale (processus largement entamé pour l'alimentation, le vêtement, le sport etc.) seront de moins en moins définies en termes économiques par leur appartenance nationale et de plus en plus par les caractères et les contraintes du marché unique. La machine économique, de toutes ses forces, conduit à l'uniformité.» (p. 229s.)

Dominique SCHNAPPER rappelle, par contre, l'importance du cadre national qui dépasse de loin sa fonction purement politique: «La nation reste pourtant une instance de régulation et un lieu d'identification privilégiée. (...) Le monde communiste peut nous aider à voir que dans les pays de l'Europe de l'Ouest aussi, les institutions et la valeur identitaire de la nation, malgré son déclin, n'en restent pas moins une source de différences profondes.» (p. 243)

Pour pouvoir mieux saisir les interactions complexes dans des sociétés en mutation, Henri MENDRAS propose «une vision cosmographique de la société, dans laquelle des groupes et des galaxies sociales s'organisent en deux constellations majeures. Des groupes sociaux se développent, grossissent et acquièrent une idéologie commune et un esprit commun qui leur donnent un rayonnement et une influence décisive sur la société; pour une période ils sont les innovateurs qui impriment à la société son mouvement, puis ils pâlissent et entrent en déclin.» (p. 38s.) Il constate comme CASANOVA les conséquences de l'ouverture des marchés sur les conditions de vie, mais arrive à des conclusions beaucoup plus nuancées: «Aujourd'hui, l'homogénéité des conditions de vie s'est étendue à tous les pays et à toutes les catégories sociales (...). La télévision, le téléphone, la salle d'eau, le lave-linge, la voiture etc. se trouvent dans chaque ménage européen. Et si le taux d'équipement est moins élevé en Espagne, on dit qu'elle est en retard et qu'elle va bientôt le rattaper. Mais de l'uniformisation de l'équipement, il ne faut pas conclure à une uniformisation des moeurs.» (p. 43s.)

MENDRAS est conscient du caractère provisoire de ce genre d'hypothèse: «Toute une géographie morale de l'Europe (comme on disait au siècle dernier) reste à faire, si l'on veut évaluer la persistance des diversités et des contrastes et même peut-être leur revitalisation par les moyens nouveaux fournis par l'enrichissement et les progrès de la technique (...). Pour lors, dans l'état des données, nous en sommes réduits à ausculter les attitudes et les valeurs à l'aide des sondages qui sont de merveilleux outils, mais qui n'atteignent que le niveau des opinions et se prêtent mal à identifier les transformations des attitudes profondes.» (p. 46s.)

Sergio ROMANO insiste lui aussi sur le rôle de l'Etat dans les différences qui subsistent entre les pays européens: «Il est vrai que l'Espagne, la Grande Bretagne, la France, l'Allemagne Fédérale et l'Italie ont vécu au cours des dernières années des chapitres parallèles d'une même histoire économique et sociale. Mais deux observations s'imposent. Le fait que des résultats analogues aient été atteints de façon si dissemblable et que l'Etat ait joué un rôle si différent dans les transformations des dernières années aura certainement des répercussions sur l'histoire future des pays étudiés et sur leur capacité d'adaptation aux règles de l'Europe communautaire» (p. 24s.)

Ce recueil, comme tant d'autres, essaie de résoudre le problème par la juxtaposition de monographies nationales et nullement comparatives. Dans son analyse du cas anglais, Vincent WRIGHT constate toute la complexité de la mutation européenne: «Dans le vaste processus de changements qui a lieu en Europe de l'Ouest, des facteurs économiques, sociaux, culturels et politiques apparaissent intimement liés les uns aux autres et nous entraînent vers des modèles de convergence. Pourtant, les agrégats masquent des variations ancrées au sein des nations européennes. L'Etat, le marché, les groupes sociaux et professionnels jouent un rôle de médiation dans ces changements et tous ont été modelés par des expériences politiques et historiques distinctes.» (p. 102) «Nous avons remarqué (...) qu'il y avait des tendances en Europe de l'Ouest qui poussaient vers l'interdépendance et l'intégration, et que certaines d'entre elles conduisaient à des convergences dans certains domaines. Pourtant, l'interdépendance et l'intégration peuvent conduire, par le biais de réactions - à la fois positives et négatives - à une différenciation accrue et à la diversité, à la fois du point de vue économique et du point de vue social. Les marchés locaux devront sans doute se spécialiser pour survivre. Il y aura des résistances à l'homogénéisation culturelle, car des groupes et des individus chercheront à réaffirmer leurs identités. Il s'ensuit qu'à travers les médiations des pressions communes vers le changement l'Europe converge dans une certaine mesure, mais les réponses à l'intérieur de chaque Etat européen varient, ce qui crée des modèles de sous-cultures transnationales comme ceux de la classe ouvrière industrielle traditionnelle, des jeunes consommateurs en ascension sociale, des immigrés pauvres et marginalisés.» (p. 117).

Pour la France, Alain TOURAINE arrive au même genre de constatations apparemment contradictoires: «Le changement le plus profond qui s'est opéré dans l'expérience des Français au cours du dernier demi-siècle est qu'elle a cessé en grande partie d'être nationale. L'économie s'est internationalisée, et tout autant la culture. (...) Ce qui marque l'histoire de la France contemporaine, c'est que cet éclatement de la société nationale atteint un pays qui avait identifié son Etat national à la fois à une longue histoire, pensée comme celle d'une personne, et au principe des Lumières. C'est donc du champ politique et de la nature de l'Etat qu'il faut partir si l'on veut comprendre les formes particulières de la vie sociale et culturelle en France. A partir de réalités sociales, on risquerait d'introduire des références constantes à une société franç aise dont c'est précisément l'existence qui est devenue problématique. Si l'on voulait, à l'inverse, pour analyser la transformation de la France, partir de la consommation et des études qui nous informent sur ses évolutions, on privilégierait les aspects généraux du marché européen et on laisserait échapper tout ce qui fait que la France ne ressemble pas à la Grande Bretagne, alors que sa production et sa consommation sont proches de celles de sa voisine. Car l'expérience humaine est au moins autant déterminée par la capacité de réponse d'un individu ou d'un pays que par les stimulations qui lui viennent de son environnement. Nos choix se forment à travers une culture, des institutions, une éducation.» (p. 145ss.)

TOURAINE conclut par un appel presque désespéré aux sciences sociales, à cette sociologie de l'Europe qui devrait permettre aux sociétés européennes de se comprendre elles-mêmes: «La société française sait aujourd'hui que les images qu'on lui a données d'elle-même ne sont que des vieilles photos retouchées. En fait, elle ne se voit plus et cherche des mains sur le visage des autres, un jour les Américains, un autre les Japonais, parfois les Allemands ou les Italiens, des expressions qu'elle voudrait s'attribuer à elle-même. Cet aveuglement ne peut pas durer. Les sciences sociales, qui portent encore le poids d'une conjoncture idéologique défavorable, ont la responsabilité de déchirer les discours opaques et de laisser entrer la lumière qui permettra à la société française de voir son propre visage, bien différent des souvenirs maintenant lointains qu'elle en a conservés. Mais elle ne pourra le reconnaî tre qu'en le comparant à ceux de ses frères et soeurs d'Europe qui vivent la même histoire, car le sens de notre situation ne peut être compris qu'à travers les différences entre les réponses que nous apportons aux mêmes questions.» (p. 170s.)

Il est sûrement symptomatique que de telles comparaisons ne sont plus recherchées entre ensembles nationaux mais au niveau régional ou local. C'est ainsi qu'une étude réalisée pour la Commission dans le cadre du programme FAST sur *L'Europe de la diversité. Modes de vie, Cultures, Appropriations de la Technique* réalisée par V. CAPECCHI, M. DIEWALD, V. GALLARDO, B. JOERGES, C. MORICOT, A. PESCE, M.A. ROQUE, V. SCARDIGLI, R. TOURREAU recueille des matériaux sur la Catalogne, l'Emilie Romagne, Berlin et l'Ile de France. Son diagnostic est nuancé: «La confrontation entre nos quatre régions suggère que, pour l'Europe considérée globalement, l'évolution temporelle irait plutôt dans le sens d'un *déclin* des cohésions. Ces cohésions semblent plus nombreuses ou fortes dans les régions encore relativement "fortes", sur le plan identitaire (Catalogne et surtout Emilie), et plus faibles dans les régions post-industrielles, encore que les Berlinois ou les Parisiens parviennent par d'autres voies à éviter l'anomie, à recréer le lien social.

Il faut donc se garder d'une réponse hâtive, car la cohésion peut prendre des *formes différentes*: plus fortement structurée collectivement dans les petites régions, qui ont encore un pied dans la "société d'"inter-connaissance' du monde rural; plus micro-sociale dans les mégalopoles (sorties de loisir au sein d'un réseau d'amis, téléphone...)*» (p. 324)

Il indique des mutations qui touchent la constitution même de l'individu dans ses rapports avec son environnement. Ils sont d'une telle complexité qu'ils ne commencent qu'à être analysés au niveau national par des ouvrages comme SCHULZE, Gerhard: *Die Erlebnisgesellschaft. Kultursoziologie der Gegenwart. (*Frankfurt, Campus, 1992).

5. Qui gouverne en Europe?

Les incertitudes européennes concernent de plus en plus les systèmes politiques. Nous constatons en effet que tous les pays européens semblent frappés par le même mal: le discrédit des gouvernants et des partis politiques et la désaffection croissante des citoyens. Il paraît en effet que les systèmes politiques nationaux et leurs traditions ne correspondent plus aux défis d'un monde caractérisé par des interdépendances internationales mal maîtrisées et par les mutations profondes que subissent nos sociétés.

Ces interdépendances obligent à une coopération de plus en plus étroite entre gouvernements nationaux quelle que soit leur coloration politique. Le débat autour des accords de Maastricht nous a rappelé dans quelle mesure le fonctionnement des institutions européennes dépend de négociations inter-gouvernementales permanentes à tous niveaux: phénomène qui sera encore renforcé si les accords arrivent à entrer en vigueur. En effet, l'Europe de Maastricht ne sera ni plus démocratique ni marquée par une volonté centrale, elle sera essentiellement intergouvernementale et dépendra donc de la capacité des gouvernements, donc des systèmes politiques nationaux de se mettre d'accord. Il en résulte un besoin croissant de concertation et donc d'information. La question des convergences et des divergences entre sociétés nationales et leurs comportements sociaux prend ici une signification politique immédiate.

Deux ouvrages parus en 1992 essaient d'informer d'une manière synthétique sur les systèmes politiques des Etats qui constituent l'Europe des douze et sur leur évolution: Dominique PELASSY: *Qui gouverne en Europe?* (Paris, Fayard, 1992) *et Oscar W. GABRIEL (ed.): Die EG-Staaten im Vergleich. Strukturen, Prozesse, Politikinhalte* (Opladen, Westdeutscher Verlag 1992).

Les deux constituent un progrès considérable en ne procédant plus par la simple juxtaposition de monographies nationales mais en traitant l'Europe comme un ensemble constitué d'éléments qui présentent cependant entre elles des différences considérables. Procédant selon les schémas traditionnels des sciences politiques, les deux ouvrages analysent d'une manière comparative le fonctionnement des institutions politiques, PELASSY s'intéressant plus à l'efficacité du gouvernement et les auteurs allemands réunis par GABRIEL plus aux chances de participation des citoyens, tous les deux étant préoccupés par l'érosion d'une répartition effective des pouvoirs. Tous les deux s'inquiètent de la perte d'autorité et de légitimité qui les frappe partout et que PELASSY décrit ainsi: «Dans le creuset de l'Europe occidentale, ce sont aujourd'hui les exécutifs et leurs sommets brillants qui incarnent, plus que les parlements, le pouvoir politique. C'est d'eux qu'on attend les décisions qui lieront le destin de la communauté, c'est vers eux que se tournent les regards, c'est autour d'eux que se joue la liturgie un peu essoufflée de l'Etat. Mais la brillance est trompeuse. Et sous le masque de l'autorité affichée, de cruelles crevasses rongent la réalité du pouvoir». (p. 206)

L'analyse purement institutionnelle et politique peut constater ces symptômes mais elle ne suffit pas pour en analyser les causes qui devront être recherchées dans une large mesure dans les transformations socio-culturelles. L'ouvrage édité par GABRIEL pousse donc plus loin l'interrogation sur les disparités entre pays européens et sur la possibilité de leurs divergences ou convergences. Les résultats devraient inquiéter tous ceux qui croient en une Union Européenne rapidement réalisable.

C'est ainsi que le bilan des conditions sociales de l'action gouvernementale conduit Manfred G. SCHMIDT à la conclusion suivante: «L'hétérogénéité politique, sociale et économique des Etats Membres de la Communauté Européenne est telle que la lenteur de l'intégration européenne et même sa stagnation ne devraient pas être considérées comme surprenantes mais comme normales. Il faudra donc garder son scepticisme devant des projets d'une intégration trop volontariste. Il sera d'autant plus grand quand il s'agit d'un élargissement vers des membres nouveaux - qu'il s'agisse des pays riches de type occidental comme la Suède ou l'Autriche ou des Etats beaucoup plus pauvres de l'Europe centrale et orientale». (p. 426)

Dans son analyse des attitudes et des cultures politiques Oscar W. GABRIEL arrive à des conclusions analogues: «Les spécificités nationales concernant les rapports des populations avec la vie politique restent considérables. Elles ne résultent pas seulement des différences dans les structures sociales des pays européens qui trouvent leur expression dans des comportements politiques. Ces spécificités continueront à influencer la vitesse et l'orientation du processus d'intégration socio-économique et politique d'autant plus que tout élargissement ne manquera pas de renforcer la différenciation de la Communauté. Dans l'avenir, il faudra mieux tenir compte de l'impact des facteurs culturels sur l'évolution économique et politique que Max WEBER avait déjà souligné au début du siècle. Malgré l'existence de traditions culturelles communes, il serait erroné de vouloir parler d'une convergence des cultures politiques nationales vers une culture politique commune de l'Europe». (p. 129)

Qui gouverne en Europe? A cette question cruciale, les deux ouvrages ne donnent qu'une réponse incomplète parce

71

qu'ils ne tiennent que peu compte des interpénétrations entre la politique nationale et l'impact des instances et des mécanismes européens et internationaux que les nombreux manuels et guides européens qui négligent la complexité des vies politiques nationales. Tant qu'il en sera ainsi, toutes sortes de mythes sur la *technocratie bruxelloise* ou sur la *souveraineté nationale* auront la vie facile. Dans son évolution paradoxale qui combine des processus d'intégration partielle avec des phénomènes de désagrégation multiples, la réalité politique européenne reste opaque.

7. L'incompréhension des spécificités culturelles: un obstacle à la coopération européenne

La difficulté d'appréhender l'impact des spécificités culturelles ne concerne pas seulement la prise de conscience des réalités politiques et sociales. Elles posent problème aux entreprises qui dès qu'elles essaient de passer de l'échange international de produits et d'informations vers de véritables synergies ou de fusions avec des partenaires étrangers se heurtent à des obstacles non seulement linguistiques, mais à un véritable *mur culturel* qui subsiste entre les manières de penser et de proc der, entre les hiérarchies sociales et les styles de gestion.

En effet, toutes les études sur la coopération économique et le management comparé le confirment: au-delà des problèmes linguistiques, les différences socioculturelles mal comprises constituent un obstacle majeur à toute coopération approfondie même à l'inté rieur de l'Europe. Le même phénomène apparaît dans le domaine universitaire si l' on veut passer des échanges traditionnels à une véritable coopération scientifique ou pédagogique. Les différences de comportement et les difficultés de communication font problème dè s qu'il s'agit non seulement d'organsier des échanges, mais de remettre en question ce qui pour chaque partenaire «va de soi» (c'est ainsi que le psychologue HOFSTÄTTER définit la culture). Ces diffé rences sont généralement interprétées en termes de «mentalité», c'est-à-dire des comportements psychologiques considérés comme étranges ou aberrants. En les analysant de plus près, on constate cependant que la plupart des malentendus et des comportements divergents sont le résultat de différences sociologiques parfaitement compréhensibles comme surtout les différences entre les systèmes d'éducation, entre les modes de pensée, les comportements et les structures sociales qu'elles produisent, les structures institutionnelles et les hiérarchies dans les administrations, les entreprises, les universités et dans la vie sociale et politique.

Tout en étant à la mode, l'étude des *cultures d'entreprise* n'a pas encore conduit à des études comparatives approfondies à l'échelle européenne, mise à part l'enquête déjà ancienne et consacrée à une multinationale assez particulière de Daniel BOLLINGER/Geert HOFSTEDE: *Les différences culturelles dans le management. Comment chaque pays gère-t-il ses hommes?* (Paris: Les éditions d'organisation, 1987)[16] Le livre de Philippe d'IRIBARNE: *La logique de l'honneur. Gestion des entreprises et traditions nationales* (Paris, Seuil, 1989) qui combine des monographies sur trois entreprises en France, aux Etats-Unis et aux Pays Bas avec des considérations historiques et sociologiques sur l'évolution des trois sociétés est méthodologiquement très stimulant mais encore largement spéculatif. Dans la pratique, on en reste donc aux simples recettes de comportement épicées de considérations d'anthropologie culturelle trop générales ou horriblement stéréotypées comme l'ouvrage d'Edward T. HALL/Mildred Reed HALL: *Les différences cachées. Comment communiquer avec les Allemands.* (Hamburg, Gruner & Jahr, 1984), consacré à la comparaison franco-allemande.

Des guides pratiques comme celui de John MOLE: *Business Guide Européen. L'attitude adéquate avec vos partenaires en Europe* (Paris: Maxima, 1992), donnent une première idée forcément stéréotypée sur les différents pays de la CEE et leurs modes de travail et de comportement. Ils attirent l'attention sur

---

16 Dans un ouvrage plus sytématique, Geert Hofstede essaie de généra-
liser son approche: *Cultures and Organizations: Software of the Mind*,
London, Mc Graw-Hill, 1991.

quelques différences dans les cultures d'entreprises et les styles de gestion sans les expliquer ou les comparer d'une manière efficace. Visiblement les études de management n'ont pas encore réussi à établir des corrélations entre les macro-structures économiques, politiques et socio-culturelles et la gestion des entreprises. En conséquence, un ouvrage comme celui de Michel PETIT et collaborateurs: *L'Europe interculturelle. Mythe ou réalité ?* (Paris, Les éditions d'Organisation, 1991) consiste dans la juxtaposition de monographies nationales qui présentent d'une manière assez instructive les attitudes de différents pays européens, mais aussi des Etats Unis et du Japon vis-à-vis de la CEE. Le chapitre le plus original concerne le comportement de la diaspora chinoise qui se met, elle aussi, à l'heure européenne.

La perspective de l'accomplissement du marché unique a déclenché toute une série de publications destinées à introduire la dimension interculturelle dans la gestion du personnel, dans la théorie et la pratique du management. Une synthèse systématique et riche en informations ponctuelles sans ambition de comparaison globale entre sociétés est présentée dans PERETTI, J.-M.; CAZAL, D.; QUIQUANDON, F.: *Vers le management international des ressources humaines.* (Paris, Editions Liaisons, 1990). D'une manière plus sceptique le problème de l'adaptation nécessaire à l'internationalisation de l'économie est posé par THURLEY, K. et WIRDENIUS, H.: *Vers un management multiculturel en Europe.* (Paris, Les éditions d'organisation, 1989). Ils prévoient des transformations profondes: «La longue marche vers l'intégration européenne va continuer et doit prendre en compte une réforme de la gestion d'entreprise. Les pressions en faveur d'une libéralisation du commerce sont évidentes et mènent à la création de sociétés trans-européennes travaillant sans frontières. Les méthodes de travail traditionnelles et nationales sont à ce niveau inadéquates et inefficaces. C'est ici que le besoin d'une réforme de l'organisation d'entreprise trouve son point de départ. La création de sociétés trans-européennes efficaces nécessite de nouveaux systèmes de gestion, qui ne seront acceptés que s'ils sont fondés sur des valeurs et des comportements européens. Pour étayer nos arguments en faveur de l'Euromanagement, il est indispensable de réfléchir aux conditions dans lesquelles cela est possible. Il faut aussi accepter l'idée d'un changement radical et généralisé «. (p. 114)

8. La comparaison des systèmes d'éducation

Une des raisons majeures de cette défaillance dans l'analyse approfondie d'un secteur central des sociétés européennes réside dans le fait que l'analyse des systèmes d'éducation tout en prenant de plus en plus conscience des phénomènes d'internationalisation n'a pas encore réussi à dégager d'une manière cohérente et comparative le rapport entre les structures institutionnelles, leurs conséquences sociales et la manière de laquelle les formes et les contenus de l'enseignement et surtout des examens conduisent à des manières de penser et à des comportements qui se retrouvent dans la vie des entreprises, dans l'administration et dans la vie sociale.

C'est ainsi qu'une étude comme celle de Jean-Michel LECLERCQ et Christiane RAULT: *Les systèmes éducatifs en Europe. Vers un espace communautaire?* (Paris, La Documentation Française, 1990), reste institutionnelle et statistique et se limite à une notion technocratique de la politique de l'éducation. L'ouvrage de Francine VANISCOTTE: *70 millions d'élèves. L'Europe de l'Education.* (Paris, Hatier, 1989) constitue un guide utile mais purement factuel. Antonio AUGENTI: *Una scuola per l'Europa. Le politiche di instruzione nella prospettiva europea.* (Milano, Mc Graw-Hill, 1990) présente une collection instructive des législations nationales et européennes. Ce n'est donc pas un hasard mais le fruit de l'intensification des relations interuniversitaires si les études comparées sont les plus développées dans le domaine de l'enseignement supérieur.

Dans son rapport *L'enseignement supérieur en Europe. Vers une évaluation comparée des premiers cycles* (Paris, La Documentation Française 1991), Jean-Pierre JALLADE présente une vue d'ensemble qui constate la ténacité des diversités culturelles dans ce secteur-clé:

«Il est peut-être utile de rappeler à ce stade que l'achèvement du marché unique de 1993 n'implique aucunement l'harmonisation ou l'uniformisation des structures et des systèmes d'enseignement supérieur. S'il est une leçon que l'observateur des systèmes éducatifs européens se doit de tirer des réformes des deux dernières décennies, ce sont bien la persistance et la vigueur des modèles nationaux qui, chacun à sa manière, s'efforcent de répondre aux défis successifs auxquels ils sont confrontés. Que cette constatation soit de nature à chagriner les tenants de la théorie des systèmes, toujours très nombreux dans certaines sphères en particulier à Bruxelles, est possible. Mais c'est un fait qu'aucun modèle unique européen en matière d'enseignement supérieur ne se dégage ni à l'horizon 1993 ni au-delà.

En l'absence de modèle unique, il n'y a que des systèmes qui fonctionnent plus ou moins bien, mais que 1993 - et ce n'est pas là une mince affaire - va contribuer à rapprocher et, demain peut-être, à mettre en concurrence. (...) Que tout cela soit une oeuvre de longue haleine est une évidence. Et qu'aucune force politique n'aura dans un avenir prévisible la légitimité nécessaire pour imposer à un pays en matière d'éducation des solutions dont il ne veut pas, cela va sans dire. On ne fera pas l'Europe de l'éducation par décret! Si ces considérations peuvent être de nature à rassurer les partisans du *status quo*, ceux-ci auraient cependant tort de croire que rien ne presse. La lecture de plus en plus transparente des systèmes d'enseignement supérieur européens, les accords transnationaux entre établissements, les échanges intensifs d'étudiants et d'enseignants, tout invite à des rapprochements, des comparaisons, voire des hiérarchies.

Il est dans la nature de la construction européenne que nul ne soit en mesure de préciser l'objet de la dynamique ainsi créée. Des décisions se prennent tous les jours mais l'incertitude quant au but règne. Il y a là de quoi gêner sans doute des esprits trop cartésiens. D'autres s'efforceront au contraire de profiter des occasions ainsi offertes pour prendre des initiatives destinées à leur environnement sur l'extérieur, se donnant ainsi à la fois des marges de liberté et un recul critique qui ne peut être que bénéfique à long terme». (p. 8 - 9)

Cette constatation est confirmée par l'ouvrage de Ulrich TEICHLER: *Europäische Hochschulsysteme: Die Beharrlichkeit vielfältiger Modelle.* (Frankfurt, Campus, 1990) qui fait le point de la recherche. Pour notre problématique d'une comparaison socio-culturelle des sociétés européennes cependant les deux études apportent des éléments importants mais ne poussent pas leurs investigations au-delà des données structurelles et des problèmes technocratiques de l'adaptation des systèmes universitaires aux défis nouveaux. Pour le domaine scolaire, l'ouvrage du Conseil de l'Europe, GALTON, Maurice and BLYTH, Alan: *Handbook of primary education in Europe.* (London, David Fulton, 1989) constitue une source d'information précieuse.

Les études plus différenciées comme celle de Jacques LESOURNE: *Education & Société, Les défis de l'an 2000* (Paris, La Découverte/Le Monde de l'Education, 1988) ou, pour l'Allemagne, celle de Sebastian MÜLLER-ROLLI (ed.) *Das Bildungswesen der Zukunft* (Stuttgart, Klett-Cotta, 1987) restent essentiellement mononationales. Une analyse comparative des systèmes d'enseignement et des styles d'enseigner et d'apprendre serait d'autant plus nécessaire qu'elle permettrait de mieux préparer les échanges universitaires dans le cadre de programmes comme ERASMUS[17]. Pour donner toute leur efficacité aux programmes d'échanges qui sont en effet le meilleur moyen pour promouvoir la compréhension entre Européens et une réflexion commune sur l'avenir de nos sociétés, une telle comparaison approfondie des systèmes d'éducation et de leurs conséquences sociales et intellectuelles serait un outil élémentaire.

---

[17] Ces déficits ont été relevés dans le rapport de Baumgratz-Cangl, G./ Deyon, N. / Kloss, G.: *L'amélioration de la préparation et de l'accompagnement linguistiques et socioculturels des étudiants participant aux programmes interuniversitaires de coopération ERASMUS,* Bruxelles, 1989.

III . Propositions

L'effort de mieux s'orienter dans le champ complexe de l'Europe en mutation n'est donc pas un exercice académique. Comprendre dans son domaine la transformation des sociétés européennes mais aussi l'enracinement profond de leurs structures et de leurs traditions historiques est une nécessité pour chacun qui essaie d'exercer une activité professionnelle dans un cadre qui dépasse les frontières nationales. En effet, la connaissance insuffisante des réalités socioculturelles des pays européens constitue un des obstacles majeurs à la réalisation du Marché Commun et d'une Europe démocratique.

L'initiation à la sociologie de l'Europe, telle qu'elle se dessine à travers le bilan pré senté dans cette é tude, devrait donc constituer un complément nécessaire à toute formation européenne, qu'elle soit à dominante juridique, économique ou politique. De même dans une Europe de plus en plus multiculturelle, l'initiation à la communication interculturelle devrait faire l'objet de l'éducation à tous les niveaux. Elle ne devrait pas se limiter à l'enseignement des langues étrangères, mais constituer une dimension importante de l'enseignement de l'histoire, de la géographie, de la littérature et de l'instruction civique[18].

Dans la mesure où la mutation de l'Europe, c'est-à-dire la transformation des conditions économiques et sociales, des structures familiales, des modes de vie et des valeurs devient une réalité quotidienne, un tel enseignement pourra se baser sur l'expérience vécue de tous les participants. Il pourrait contribuer à cette prise de conscience des réalité s sociales et culturelles qu'Alain TOURAINE réclame si intensément pour la France. Considérée du point de vue socioculturel, l'Europe n'est pas cet ensemble abstrait et lointain, cet idéal si peu crédible des campagnes électorales, mais une réalité immé-

---

[18] Un tel concept d'une formation internationale cohérente a été formulé dans: Robert Bosch Stiftung/Fondation européenne de la Culture: *Le manifeste de Madrid. Langues étrangères et communication européenne*, Stuttgart, 1987.

diate avec toutes ses contradictions. L'initiation à la sociologie de l'Europe est donc la meilleure méthode pour sensibiliser les Européens aux réalités du monde dans lequel ils vivent sans trop le comprendre.

1. Education et formation: l'initiation à la comparaison internationale

Mais comment enseigner une matière qui visiblement échappe encore aux efforts des sciences sociales et sur laquelle des résultats définitifs paraissent difficiles non pas par manque de données et d'analyses, mais à cause de la complexité d'un champ qui se trouve dans un état de transformation permanente et rapide? Il serait certainement erroné de vouloir transmettre de simples informations nécessairement partielles et vite périmées ou un corpus figé de doctrines. Ce qui peut être enseigné par contre, et ce qui devrait faire partie du savoir-faire de tout Européen dans la mesure de ses possibilités, est une capacité d'orientation et un usage plus intelligent et critique des informations disponibles en vue de pouvoir comparer des problèmes communs dans leurs contextes nationaux et culturels spécifiques.

Dans une société multiculturelle où la rencontre avec l'étranger sous toutes ses formes constitue une expérience quotidienne, la vérification des stéréotypes et des préjugés, c'est-à-dire des manières de percevoir et d'interpréter l'autre et soi-même sont d'une importance primordiale. Elles peuvent aller d'une sensibilisation initiatique accessible à tout le monde, jusqu'à une analyse très avancée de l'histoire des idées et de la dynamique de groupes sous-jacentes[19] Dans une deuxième étape de cette initiation, il convient de faire comprendre l'état

---

[19] Voir par exemple, Todorov, T.: *Nous et les autres. La réflexion française sur les diversités humaines*, Paris, 1989. ou, dans une approche psychoanalytique, Sibony, D.: *Entre deux. L'origine et le partage*. Paris, 1991. Une réflexion approfondie à partir des expériences de l'Office Franco-Allemand pour la Jeunese se trouve dans Ladmiral, J.-R./ Lipiansky, E.M.: *La communication interculturelle*, Paris, 1989, et Demorgon, J.: *L'exploration interculturelle. Pour une pédagogie internationale*, Paris, 1989.

actuel des sociétés et des individus comme produit d'une histoire qui a façonné leurs orientations, leurs intérêts et leurs disponibilités.

Pour la sensibilisation des individus comme pour la comparaison des sociétés, les théories de la «socialisation» qui analysent les biographies comme un parcours cumulatif à travers les institutions sociales[20] peut servir de fil directeur. Une telle analyse des enchaînements progressifs, l'entrée en société à travers la famille, l'éducation et les carrières professionnelles etc. permet de mettre en relation différents domaines de la vie sociale dont la simple comparaison institutionnelle resterait abstraite. Cette méthode biographique permet en même temps de situer l'expé rience de différentes générations dans l'histoire de leur pays et de faire comprendre l'évolution de leurs *projets de vie*.

Pour qu'une telle démarche puisse se baser sur des données précises, l'approche anthropologique a besoin de tout l'apport des sciences sociales spécialisées dans différents domaines. Elle fera donc appel à l'histoire, aux sciences politiques et administratives, à l'économie, aux différents domaines de la sociologie, aux sondages d'opinion et aux études de marketing. La sensibilisation à la communication interculturelle et la prise de conscience de la dépendance des biographies individuelles des conditions historiques et sociales sera donc suivie d'une initiation aux différents domaines de l'histoire et de la sociologie comparée des pays européens. Celle-ci pourra être plus ou moins intense selon le niveau et le caractère des différents programmes d'éducation et de formation. Selon les besoins, la comparaison pourra être bilatérale ou impliquer plusieurs pays européens.

---

[20] Voir Hurrelmann, K./ Uhlig, D.: *Handbuch der Sozialisationsforschung*, Weinheim, 1980. Pour la France, un livre comme Bourdieu, P. / Passeron, J.-C.: *La reproduction. Eléments pour une théorie du système d'enseignement*, Paris, 1972, repose en grande partie sur cette approche théorique. La synthèse la plus complète qui intègre les mutations du monde du travail se trouve dans Dubar, C.: *La socialisation. Construction des identités sociales et professionnelles*, Paris, Colin, 1991.

2. Intensifier et valoriser la recherche

Notre bilan n'a pas seulement fait apparaître la disparité des résultats disponibles mais surtout la quasi-unanimité de toutes les réflexions méthodologiques: quel que soit l'objet des différentes études, toutes réclament une approche interdisciplinaire en vue d'une interprétation comparative à la fois historique et culturelle des phénomènes relevés. Chaque thème doit être situé à la fois dans le contexte de l'évolution spécifique des pays concernés et dans celui de l'évolution commune des mutations transnationales. Chaque thème nécessite ainsi la présentation de textes et de tableaux complémentaires, une illustration permettant une interprétation plus nuancée des résultats de la recherche. Celle-ci ne visera pas des généralisations considérées comme définitives mais la prise de conscience des données et des interrogations qui sont à prendre en considération dans l'analyse comparative des mutations en cours dans différents pays. Une telle approche oblige en effet à poser des questions *culturelles* qui ne correspondent pas, nous l'avons vu à travers notre bilan, à la production spontanée des sciences sociales. Elle nécessite donc une coopération interdisciplinaire et internationale supplémentaire.

Pour la préciser, il conviendra de définir des thèmes et de constituer des équipes disponibles à la réalisation de projets consciemment limités dans leur volume et dans le temps. Une telle démarche incite à des synergies qui ne manqueront pas d'avoir des répercussions sur la recherche spécialisée. Elle peut être réalisée - comme le prouve l'expérience dans d'autres domaines avec une structure extrêmement légère qui assure la coordination des projets sans se transformer elle-même dans une institution qui ne pourrait être démesurée et lourde, si elle veut réunir sous un seul toit toutes les dimensions de la sociologie de l'Europe. La combinaison de plusieurs projets sous la direction d'une équipe de coordination continue permet de dégager une plus-value comparative considérable. Une telle démarche par projet est forcément expérimentale et destinée àstimuler des activités multiples dans la recherche, dans l'enseignement, la formation et dans les médias.

3. Dossiers de sociologie européenne

Les résultats de ces projets à la fois interdisciplinaires et internationaux pourraient être présentés sous une forme immédiatement utile à l'enseignement, à la formation et à des recherches ultérieures. Dans un domaine où il ne s'agit pas essentiellement de présenter des données et des résultats définitifs mais de mettre des observations dans leur contexte historique et de réfléchir en même temps sur les manières de voir et d'interpréter, il serait utile de ne pas présenter seulement des textes de synthèse mais des recueils de documents de toute sorte.

L'initiation aux thèmes de la sociologie européenne pourrait ainsi prendre la forme d'un guide commenté à travers la confrontation de textes, de statistiques et de tableaux qui permettraient une meilleure compréhension des problèmes qui se posent aussi bien à la recherche qu'à la communication et à la coopération entre Européens. Ces présentations pourraient prendre chacune la forme d'un dossier commenté, d'une forme plus sophistiquée d'un *reader*. Ces dossiers permettant de rendre accessibles des constellations complexes de recherche interdisciplinaire, seront un outil de travail destiné essentiellement aux enseignants, aux auteurs de manuels, à la formation des formateurs. Ils pourront orienter les efforts des médias à présenter une information comparative plus approfondie sur les sociétés européennes.

Dans une première étape, une telle série de dossiers devrait porter sur les thèmes de base suivants:

- Mutations économiques, transformations des structures sociales et urbanisation.
- Structures familiales et démographie.
- Systèmes d'éducation I. Reproduction et modification des structures sociales.
- Systèmes d'éducation II. Modes de pensée et de comportement transmis par l'école et par l'université.
- Les cultures économiques: le rôle de l'Etat, relations sociales, management comparé et réactions à l'internationalisation.
- Les systèmes de protection sociale.

- L'Europe des modes de vie: consommation, loisirs et formes culturelles de la vie quotidienne.
- Vers une société multiculturelle: migrations et minorités.
- Culture politique et identité collective: la mémoire collective et ses symboles.
- Les Européens à la recherche d'une nouvelle morale: comportements religieux et changement des valeurs.

Chacun de ces thèmes devrait être traité par un groupe d'experts coordonné par une équipe centrale qui assurera l'interconnection entre les différents domaines. Pour assurer à la fois un travail d'équipe interdisciplinaire concentré et une couverture sufisamment large de comparaison internationale, chaque thème devrait être traité en deux étapes:

- Coopération d'une équipe interdisciplinaire de quatre experts pour la constitution d'un dossier de base.
- Réunion d'une vingtaine d'experts en provenance de différents pays pour discuter et compléter le dossier.
- Rédaction finale.
- Traductions: version anglaise, française, allemande.

Le projet pourrait se terminer par une grande conférence qui présentera la synthèse des résultats.

Dans l'hypothèse que trois champs thématiques pourraient être traités par année, un tel projet pourrait être réalisé dans l'espace de quatre ans avec quatre mois préalables de préparation thématique et de constitution des équipes.

En mobilisant les meilleurs experts, en utilisant et en faisant connaître les résultats d'une recherche spécialisée trop dispersée, un tel projet ne manquera pas d'avoir un effet de synergie et d'entraînement qui dépasse de loin la publication des dossiers proposés.

BIBLIOGRAPHIE

ALMOND, G.A./VERBA, S.: *The civic culture. Political attitudes and democracy in five nations.* Boston/New York 1963.

ALMOND, G.A./VERBA, S. (Ed.): *The civic culture revisited.* Boston 1980.

AUGENTI, A.: *Una scuola per l'Europa. Le politiche di instruzione nelle prospettiva europea.* Milano: Mc Graw-Hill 1990.

BAUMGRATZ-GANGL, G./DEYSON, N./KLOSS, G.: *L'amélioration de la préparation et de l'accompagnement linguistiques et socioculturels des étudiants participant aux programmes interuniversitaires de coopération ERASMUS.* Bruxelles 1989.

BENICHI, R./NOUCHI, M. et al.: *Le livre de l'Europe. Atlas géopolitique.* Paris 1990.

BOLLINGER, D./HOFSTEDE, G.: *Les différences culturelles dans le management. Comment chaque pays gère-t-il ses hommes?* Paris 1987.

BOURDIEU, P./PASSERON, J. - C.: *La Reproduction. Eléments pour une théorie du système d'enseignement.* Paris 1972.

RBRAUDEL, F.: *L'identité de la France.* Paris 1986.

CAPECCHI, V./DIEWALD, M./GALLARDO, V./JOERGES, B./MORICOT, C./PESCE, A./ROQUE, V./SCARDIGLI, V./ TOURREAU, R.: *L'Europe de la diversité. Modes de vie, Cultures, Appropriations de la Technique.* Bruxelles: Commission of the European Communities - FAST 1991.

CASSIRER, E.: *Versuch über den Menschen. Einführung in die Philosophie der Kultur.* Frankfurt 1990.

COMMISSION DES COMMUNAUTES EUROPEENNES - CELLULE DE PROSPECTIVE: *L'Europe dans le mouvement démographique.* Luxembourg: Office des publications officielles des Communautés Européennes 1992.

DAHRENDORF, R.: *Betrachtungen über die Revolution in Europa.* Stuttgart 1990.

DEMORGON, J.: *L'exploration interculturelle. Pour une pédagogie internationale.* Paris 1989.

DOMENACH, J.-M.: *Europe: Le défi culturel.* Paris 1990.

DUBAR, C.: *La socialisation. Construction des identités sociales et professionnelles.* Paris: Colin 1991.

DUROSELLE, J.-B.: *L'Europe. Histoire de ses peuples.* Paris 1990.

EUROSTAT: *A social portrait of Europe.* Luxembourg: Office for Official Publications of the European Communities 1991.

FUTURIBLES: Dossier «Perspectives de la famille». Paris: *Futuribles* avril 1991.

GABRIEL, O.W. (Hrsg.): *Die EG-Staaten im Vergleich. Strukturen, Prozesse, Politikinhalte.* Opladen: Westdeutscher Verlag 1992.

GALTON, M./BLYTH, A.: *Handbook of primary education in Europe.* London: David Fulton 1989.

HALL, E. T./HALL, M. R.: *Les différences cachées. Comment communiquer avec les Allemands.* Hamburg 1984.

HARDING, S./PHILIPPS, D./FOGARTY, M.: *Contrasting Values in Western Europe*. London 1986.

HAUT CONSEIL DE LA POPULATION ET DE LA FA-MILLE: *Démographie et politique familiale en Europe*. Paris: La Documentation Franç aise 1990.

HOFSTEDE, G.: *Cultures and Organizations: Software of the Mind*. London: Mc Graw-Hill 1991.

HURRELMANN, K./UHLIG, D.: *Handbuch der Sozialisationsforschung*. Weinheim 1980.

INGLEHART, R.: *The Silent Revolution, Changing Values and Political Styles among Western Publics*. Princeton 1977.

INGLEHART, R.: *Culture Shift in Advanced Industrial Society*. Princeton: Princeton University Press 1990.

IRIBARNE (D'), P.: *La logique de l'honneur. Gestion des entreprises et traditions nationales*. Paris: 1989.

JALLADE, J.-P.: *L'enseignement supérieur en Europe. Vers une évaluation comparée des premiers cycles*. Paris: La Documentation Franç aise 1991.

KAELBLE, H.: *Auf dem Weg zu einer europäischen Gesellschaft. Eine Sozialgeschichte Westeuropas 1880-1980*. Mü nchen 1987.

KAELBLE, H.: *Nachbarn am Rhein. Entfremdung und Annäherung der französischen und deutschen Gesellschaft seit 1880*. M nchen: Beck 1991.

KLUCKOHN, C./KROEBER, A.L.: *Culture, a Critical Review of Concepts and Definitions*. New York 1963.

LADMIRAL, J. - R./LIPIANSKY, E. M.: *La communication interculturelle*. Paris 1989.

LECLERCQ, J.-M./RAULT, C.: *Les systèmes éducatifs en Europe. Vers un espace communautaire?* Paris 1990.

LENOBLE, J./DEWANDRE, N. (eds.): *L'Europe au soir du siècle. Identité et démocratie.* Paris 1992.

LESOURNE, J./LECOMTE, B.: *L'Atlantique à l'Oural. L'après - communisme.* Paris 1990.

LESOURNE, J.: *Education & Société. Les défis de l'an 2000.* Paris: La Découverte/Le Monde de l'Education 1988.

MENDRAS, H./REILLER, F.: *Atlas. 340 millions d'Européens.* Paris 1990.

MENDRAS, H./SCHNAPPER, D.: *Six manières d'être Européen.* Paris 1990.

MERMET, G.: *Euroscopie. Les Européens. Qui sont-ils? Comment vivent-ils?* Paris 1991.

MITSCHERLICH, A.: *Auf dem Weg zur vaterlosen Gesellschaft.* München 1963.

MOISI, D./RUPNIK, J.: *Le nouveau continent. Plaidoyer pour l'Europe renaissante.* Paris 1991.

MOLE, J.: *Business Guide Européen. L'attitude adéquate avec vos partenaires en Europe.* Paris 1992.

MOLE, J.: *Mind your Manners.* London 1990.

MORIN, E.: *Penser l'Europe.* Paris 1987.

MÜLLER-ROLLI, S.: *Das Bildungswesen der Zukunft.* Stuttgart 1987.

NEIDHARDT, F. U. A. (Hrsg.): «Kultur und Gesellschaft», *Kölner Zeitschrift für Soziologie und Sozialpsychologie,*

Sonderheft 27/1986. Kö ln 1986.

NIPPERDEY, T.: *Deutsche Geschichte 1866-1918.* Band I: Arbeitswelt und Bürgergeist. München 1990.

NOELLE-NEUMANN, E./KÖCHER, R.: *Die verletzte Nation. Über den Versuch der Deutschen, Ihren Charakter zu ändern.* Stuttgart 1987.

PELASSY, D: *Qui gouverne en Europe?* Paris 1992.

PERETTI, J.-M./CAZAL, D./QUIQUANDON, F.: *Vers le management international des ressources humaines.* Paris 1990.

PETIT, M. et collaborateurs: *L'Europe interculturelle. Mythe ou réalité ?* Paris 1991.

PICHT, R./VANDAMME, J.: *A la recherche de l'identité européenne: Analyses et propositions pour le renforcement d'une Europe pluraliste.* Bruxelles: TEPSA 1991.

POMIAN, K.: *L'Europe et ses nations.* Paris 1990.

RUPNIK, J.: *L'autre Europe.* Paris 1990.

SCARDIGLI, W.: *L'Europe des modes de vie.* Paris 1987.

SCHILD, J.: *Vergleichende Länderforschung und europäische Integration. Stand und Entwicklungsmöglichkeiten in der Bundesrepublik Deutschland.* Ludwigsburg 27. - 29. Juni 1990. Deutsch-Französisches Institut.

SCHULZE, G.: *Die Erlebnisgesellschaft. Kultursoziologie der Gegenwart.* Frankfurt 1992.

SIBONY, D.: *Entre Deux. L'origine et le partage.* Paris 1991.

SINGLY, François de: *La famille: transformations récentes. Problèmes politiques et économiques* 685. Paris: La Documentation Française 1992.

SOEFFNER, H.-G. (Hrsg.): «Kultur und Alltag», *Soziale Welt*. Sonderband 6. Göttingen 1988.

STOELZEL, J.: *Les valeurs du temps présent. Une enquête européenne*. Paris 1983.

SULLEROT, E.: *Quels pères? Quels fils?* Paris 1992.

TEICHLER, U.: *Europäische Hochschulsysteme: Die Beharrlichkeit vielfältiger Modelle*. Frankfurt 1990.

THURLEY, K./WIRDENIUS, H.: *Towards European Management*. London 1989.

THURLEY, K./WIRDENIUS, H.: *Vers un management multiculturel en Europe*. Paris 1989.

TIMMS, N./ASHFORD, S.: *What Europe thinks: a values handbook*. Dartmonth 1992.

TODD, E.: *L'invention de l'Europe*. Paris 1990.

TODOROV, T.: *Nous et les autres. La réflexion française sur les diversités humaines*. Paris 1989.

VANISCOTTE, F.: *70 millions d'élèves. L'Europe de l'éducation*. Paris 1989.

WALLACE, W. (Ed.): *The dynamics of European Integration*. London: Royal Institute of International Affairs 1990.

WALLACE, W.: *The transformation of Western Europe*. London: Royal Institute of International Affairs 1990.

WEIDENFELD, W./WESSELS, W. (Ed.): *Handbuch der Europäischen Integration 1989/90*. Bonn 1990.

ECONOMICS AND THE COMPARATIVE STUDY OF EUROPEAN SOCIETIES

Assumptions, framework and proposals for a socio-historical economic approach to European studies

Dr. L. Bekemans

I. European Reality : convergence versus diversity

1. The European economic system in the aftermath of the Maastricht Treaty
2. Convergence versus diversity in European economic developments
   2.1 The existence of a common framework
   2.2 The need of a dynamic context
   2.3 Sources of diversity in economic systems
3. Conclusion

II. The complexity of European societies versus the economic simplification of reality
1. Understanding economic system
2. Conventional economic analysis : framework and evaluation
3. Conclusion

III. An interdisciplinary approach to the study of European societies
1. Challenges to disciplinary boundaries : «savoirs économiques» and historical dimension
2. Challenge to conceptual distinctions : pluralism
3. Conclusion

IV. Bibliography

I . European reality: convergence versus diversity

1. *The European economic system in the aftermath of the Maastricht Treaty*

The ongoing discussions in the different European countries on the ratification of the Maastricht Treaty mainly centre on the different perceptions of the role of the Community and its Member States in the conduct of Community policies within the future European Union. The debate is linked to the yet long lasting discussion on the question of the deepening and widening of the Community and its political structure. The outcome will have an immediate and visible impact on the credibility of the European Community and its constituent members for its citizens. The challenge is the search for a steady balance of convergency trends with maintenance of diversity in a political structure agreed upon by all member states.

The historical developments of the European Community; since its origin in the late fifties till the late eighties, clearly indicate the preponderance of economics and economic reasoning in the integration process as the basic stimulating factor. This neo-functional pattern proved to be rather successfully over time. Since the adoption of the European Single Act in 1986, the Community's development has accelerated and has now come to a crucial point with the adoption of the Treaty on European Union on the 7 of february 1992.

The «acquis communautaire» clearly underlines that the Community model aims at establishing a type of new relations between nations and peoples. It is based on a common exercise of shared sovereignty, based on a non-hegemonic Community of countries. Free circulation and the opening of internal borders have been the major premises of the internal market. The vast restructuring of European economic order since the end of World War II has been the direct outcome.

The European Community has become an important actor in the global economic system and a dominant source for the development of its member states and its citizens. The Community system has been in the first place a European policy answer to the transformations of its economic and political environment. It has taken full part in a double process of integration: the process of spontaneous interpenetration of economies in the global economic system and the process of voluntary integration in the European Community.

Internal economic dynamics has led to a globalisation process, strongly supported by industry and large firms. They are looking for efficient means for increased access to market resources and better distribution of risks. The stress on the integration of markets also implied a certain regional polarisation in order to create a homogeneity of regulations, attitudes and cultures.

Still, experience shows that common policy objectives have always been confronted with concrete national and regional realities and that Community actions have tried to take into account specific technological and socio-cultural problems of each member state. Therefore, to understand the Community economic system fully, it does not suffice to comprehend the functioning of the Community institutions in the conduct of common economic policies, but it also implies to comprehend the economic realities of the different countries and the variety of their reactions to the challenges they are confronted with. To understand specific economic problems in member states, aggregate economic reasoning on European level, without taking into account the particularities of the socio-cultural context, remains doubtful and may even provide averse effects on economic growth potentials.

Following the results of the Cecchini Report (*The Cost of non- Europe*, 1988), the integration process will continue to create positive spillover effects in the different European societies. However, the cost of excluding existent differences in societies could produce counter effects if not accompanied by supporting means outside the technical and economic field. Today, the Community is confronted with a vital challenge: the process of the realisation of the internal market and of further integration to a European Union takes place in a setting characterised by internal changes in Western Europe as to the relation of the citizens to the existing economic, political and social structures as well as by external changes in Central and Eastern Europe and in the global scene.

In this changing context, a direct link between stability and change characterises the European system. It is permanent in its basic principles and institutions. Its economic foundations (free circulation and non-discrimination) and institutions call for a functional and continuous process of integration. Its task is to organise and coordinate the economies of the member states, on the basis of principles, rules and common policies, in a market under the authority of common institutions. It is clear that the Community economic system is the most advanced in the process of integration.

The political foundations are based on either the basic vision of the creation of «an ever closer union among the peoples of Europe», or on the institutional capacity to make common decisions for the benefit of all member states. The discussions around the ratification of the Maastricht Treaty clearly indicate that «Political Europe» is still largely divided concerning the interpretation of a common defence, a foreign policy and a Europe of citizens and cultures.

The change results from a double interaction. The Community is a reality and a project at the same time. The acquired reality exists, even with all the imperfections, in the fields of a number of Community policies. The project, moving from the completion of the internal market to the creation of a European Union, however remains open to different interpretations and developments. The future project deals with a Community representing both an institutional and juridical system and a complexity of nations conserving their own particularities. This a very unique construction.

In the current European debate growing European and global interdependence are confronted with different expressions of national and regional identities. Within the process of increasing internationalisation of economies and of uncertain political developments, countries (and regions) seem to increasingly stress the need for the preservation of their identities.

The demand for national (regional) identity, if well understood and expressed in the new context, could represent a concrete reaction which serves as a counterweight to economic internationalisation and finally to tendencies of homogenisation of economic systems.

The Commission is confronted with a strong demand for visibility by the regions. Many regions consider the further process of integration as an opportunity to affirm their identity and to collaborate directly among them. The establishment of a Committee of Regions by the Maastricht Treaty only institutionalises the increasing importance of these economic sub-systems. It forces political structures to a healthy reflection on the division of political power between different levels.

The European Community faces the challenge to achieve two objectives which seem difficult to combine: to strengthen the economic and social cohesion of the Community and to preserve its diversity. A reading of the Treaty on European Union proves the double preoccupation of the European Community of strengthening economic and social cohesion by emphasizing convergence between the member states and of simultaneously preserving diversity by respecting their national and regional identities. We cite a number of articles which characterise the double challenge of a strengthened cohesion confronted with a proclaimed diversity:

- In Title I on Common Provisions (Article B: « ... - to promote economic and social progress ... through the strengthening of economic an social cohesion...», ...- to strengthen the protection of the rights and interests of the nationals of its Member States through the introduction of a citizenship of the Union»; and Article F: «1. The Union shall respect the national identities of its Member States, ...»).

- While Article 2 explains the specific tasks of the Community and Article 3 its activities («...(p) a contribution to education and training of quality and to the flowering of the cultures of the Member States»), Article 3b introduces the principle of subsidiarity («In areas which do not fall within its exclusive competence, the Community shall take action, in accordance with the principle of subsidiarity,...»).

- In Title VI on Economic and Monetary Policy (Article 102a to 109m) the emphasis on convergence of the economic performances of the member states is explicit. Even here a differentiated approach and possibilities of derogation are included in the texts.

- The existence of diversity is taken into account in Title VIII on Social Policy, Education, Vocational Training and Youth, in Article 118 on «... the task of promoting close cooperation between Member States in the social field ...», in Article 118b on «... the dialogue between management and labour ...», and especially in Article 126 («The Community shall contribute to the development of quality education by encouraging cooperation between Member States and, if necessary, by supporting and supplementing their action, while fully respecting the responsibility of the Member States for the content of teaching and the organization of education systems and their cultural and linguistic diversity.»)

- Title IX on Culture is very explicit on the preservation of diversity: Article 128 («1. The Community shall contribute to the flowering of the cultures of the Member States, while respecting their national and regional diversity and at the same time bringing the common cultural heritage to the fore»).

- Title XIV on Economic and Social Cohesion promotes an overall harmonious development of the Community (Article 130a).

- Title XVI on Environment, especially Article 130r («2. Community policy on the environment shall aim at a high level of protection taking into account the diversity of situations in the various regions of the Community...»).

- The acceptance of existing diversity is institutionalised in the Treaty by the establishment of The Committee of the Regions (Article 198a).

The Maastricht Treaty clearly affirms to make the European Community change from a dominantly economic system to a European Union which includes the need for preserving the distinct characteristics of the different Member States. With all its ambiguities and imperfections, the Treaty gives the opportunity to continue to develop Europe through diversity and subsidiarity. It is clearly acknowledged that the social and cultural problems of contemporary Europe can be solved neither by mere reductionist economic approaches nor by protectionist attitudes.

The socio-cultural realities in the different countries are considered to be an important explanatory factor in the functioning of national and regional economic systems and should, therefore, be well understood. Moreover, they should be treated at a disaggregated level in spite of the convergence trends that aggregate economic reasoning proposes. This is a crucial task for European Studies programmes.

2. Convergence versus diversity in European economic developments

2.1. The existence of a common framework

Economic developments in Europe in the years 1950 and 1960 were based on the hypothesis of convergence. The convergence thesis is supported in varying degree by the histories of capitalist nations. The economic history literature (Cipolla, 1976) mentions a number of trends which have been working towards establishing common institutional and political contexts :

- the development of contract wage labour and labour mobility in the market
- the improvement of communication and transportation systems, enhancing both market information and the movement of resources and products through the market
- the development of the state as an order-keeping agency
- the rationalisation of money and credit, through the development of a banking system and the assurance of the legitimacy of the monetary system by the state

- the development of a utilitarian philosophical system
- the development and rise of economic liberalism

These general trends of convergence in economic developments in Europe were scientifically supported by economic theory and were applied to the Community framework (free trade, harmonization of national regulations, co-ordination of policies, economics of scale, efficiency criteria, Community freedoms, etc.). The logic of economic reasoning was dominant in the Community framework and economic theory provided enough arguments to support this trend in actual policy making. The main Community institutions are examples of this process. The logical consequence of this convergence trend between national economic systems was the creation of a homogeneous internal market. Economic analysis promoted convergence which in its turn stimulated further economic integration.

These trends to homogeneity of European societies are supported by a number of basic facts :

a. The construction of a unique (European) model of society, strongly technical and market oriented (see V. Scardigli (1989), R. Aron (1962), A. Tourraine (1969), Daniel Bell (1973), Richard Inglehart (1990), etc.)

Convergence is observed in many sectors of European societies, ranging from the economic field to political and socio-cultural realities. We observe similar trends in Europe in demographic indicators, family structures, employment structures and working conditions, life patterns, values and attitudes, education systems, health policies, mechanisms of social protection and general Welfare State spending (see the social citizenship model by Esping-Andersen, 1985), in the business sector and in general political evolutions. This economic and social development model has led to a development of a mass culture of consumption in all European societies. The seventies seemed to prove Rostow's thesis of the different stages of economic growth.

b. The effect of the European integration: the common market has launched a strong dynamism of circulation of persons and ideas, legal unification and uniformisation of markets, strengthened economic and social cohesion by a voluntarist Community policy and institutionalised in the Treaty of Maastricht. However, it should not be forgotten that, the apparent homogenisation of life patterns, started already much before the European integration could have its effects.

c. The common cultural heritage: Europe is viewed as a diversified but nonetheless coherent cvilisation. It is singled out by its special geographical environment, by its basic values and by shared experiences. National or regional differences are then seen as variations on common historical realities.

2.2. The need of a dynamic context

These convergence trends must be understood within a dynamic context, i.e. the changes in European societies over time. Picht (1991) refers to a number of mutations and continuities which, I believe, have an influence on the working and understanding of economic systems :

- The changes in traditional family patterns affect societal developments at regional, national and European levels.

- Education systems reproduce cultural diversity. This has been acknowledged in Article 126 of the Maastricht Treaty. The variety constitutes both a difficulty in intercultural co-operation and offers a unique opportunity to valorise specificities.

- Economic and technological change lead to uncertainties of work and life-style. New communication technologies, internationalisation of markets and existence of new life-styles affect traditional behaviour in economic life. Still sociological studies (Schnapper/Mendras (1990), Scardigli (1989,1991), Mermet (1991), Flora (1987), etc.) show that Europeans remain visibly culturally diverse in their aspirations and spending behaviour. Cultural diversity remains lively in spite of the internalisation of markets and the convergent trends in the material world. This presents a continuous challenge.

- The interaction of economic, social and cultural transformations have consequences for values and moral attitudes. The comparative studies on European value systems (see the many publications by the European value systems Study Group), reveal that individual search for personal satisfaction, for health and happiness still is the central value in all European countries. This underlying value system has an impact on people's attitudes towards the changing system and needs to be fully understood.

- Accelerated economic and technological changes have profound consequences on European societies. Preoccupations exist on the dependence on highly complex systems, the notion of technical progress and the role of the state in the economy. To what extent can the European Community take the place of the protective 19th century nation-state?

A historical qualification needs to be made within this dynamic context. In his «Survey on a comparative study of European societies» Picht (1992) states that, according to the available economic and social indicators, there seems to have been a rather strong diversity in life patterns in Western Europe till the middle of the seventies. This diversity is explained by differences in degree or form of economic development (habitat, type of productive activity, quality of life, etc.), but mainly by different daily cultures. Since some years now a trend of homogenisation of values and daily practices is observed, probably under the effect of the generalisation of the consumption culture and the diffusion of new technologies in daily life through the market economy.

The European Community has played an important role in favouring convergent trends. The voluntarist Community policies use subsidies, preferential tariffs, technological transfers, etc. to reduce economic inequalities. They seem to have led to more similar household revenues. Countries seem to adopt convergent consumption models with a uniformisation in the urban habitat, in demographic evolutions, the structure of the labour market, etc. These results are mostly based on aggregate figures of economic growth performance which consider the life patterns as a mechanic outcome of structural factors.

Although the creation of the Common Market has led to a homogeneous supply of goods and services in Europe, its social appropriation may still differ according to local traditions, value systems and specific choices within the different countries. Moreover, regionalised analyses often seem to indicate constant factors which oppose this trend to further homogeneity of European society. To understand these opposing interpretations, more precise information on the socio-cultural realities is needed. The results of the MONITOR-FAST research programme of the European Community (1991) indicates that economic development concepts are often based on regional specifications which may explain the diversity within the overall convergent framework.

2.3. Sources of diversity in economic systems

2.3.1. Existing diversity in European countries

The creed in the inevitable convergence of economic systems and policies in the West has experienced some drawbacks. Too often it was hindered by the concrete reality. Simultaneously, supranational organisations, such as the Common European Market, essentially based on the belief of convergence, had to recognise the irreducibility of national differences. Even within existing nations, the regional differences tend to increase instead of disappearing and tend to develop against the principle of convergence applied in market economy. Slowly, it becomes clear that national and regional economic cultures have an impact on economic performance and structure of nations and regions.

The literature on the history of the European Community indicates that the process of structural European integration of nation States has strengthened the European economy as a means to preserve and increase Europe's competitiveness and to higher the level of material welfare of her citizens. Still the trend to the creation of a more homogeneous European space has always been contrasted with the existence of a multiethnic and multi-cultural Europe. Moreover the recognition of the persistence of cultural diversity within the single nation-State has led to forms of decentralisation and to more regional autonomy in several European countries. Large scale immigration has also made many European countries into multiethnic societies. All these new developments have an impact on the existing economic and political structures in Europe.

The existing literature distinguishes four options of how this unifying (economic) process affects Europe's traditional cultural diversity (i.e. the culture of mass consumption, the existence of large and small cultural entities, a revival of national and regional cultures and the discussion on the link between culture and economy). At this particular face of the integration process, it is difficult to assess the merits of each option. On the one hand, there can be little doubt that the need for harmonization in legislation may disrupt certain traditional values and beliefs or undermine some vested interests of individual states. On the other hand, there are numerous examples of single markets that display a strong regional and cultural diversity.

Wallace (1990) has paid attention to the different patterns and rhythms of political, economic, social and cultural developments in the European integration process. He attributes much importance to the changing values and attitudes towards this transformation process. Economic developments have been too long explained in the logic of a straightforward process by the normative (economic) theorists of European integration. Economists often exclude values, loyalties or shared identities from their economic thinking, substituting a model of rational man entirely motivated by calculations of interest.

It is often assumed that economic, social, cultural and political factors are intimately linked and lead to models of convergence. However, the aggregate figures often mask variations embedded within European nations. The State, the market, social and professional groups have all played a role of mediation in those changes explained by specific political and historical experiences.

The ongoing European integration has and will continue to have an impact on the lives of the individual citizens. In his book on *Le système économique de la Communauté européenne*, Tavitian (1990) argues that it is not the big cultural unifier that is often said. Diversity will remain, and this will depend on the citizens attitudes rather than on the market size.

* The diversity of Europe is clear on geographical and political level :

- All EEC countries have strong links with countries outside the Community. The different Member States do not view the Community as a closed box, but as a common framework in which their specific interests can be developed.
- The Community does not represent the whole of Europe, but attracts other European countries in different ways: the creation of the European Economic Space with the EFTA countries, association agreements with the Eastern and Central European countries, demand for new memberships, etc.
- The Community is formed and developed in the diversity of the Member States.

To accept internal diversity may qualify impressions from aggregate statistics and lead to a better understanding of the challenges to the integration process. In fact, the homogeneous European economic space that the Community wants to realise starts from a large diversity, in economic terms, but certainly in socio-cultural ones. This means enough room for differentiated realities within the Community. This should be acknowledged in European Studies programmes.

* Diversity is a source of complementarity and creativity in the European integration process, but can also cause tensions and conflicts. Divergences among nations will be better solved if diversity of their attitudes are understood. R. Tavitian (1990) distinguishes two main aspects:

1) Diversity of socio-economic structures and levels of development

- There are elementary contrasts between North and South (i.e. climate and cultures) and between the large industrial

104

zones between Birmingham and Milano and between Berlin and Barcelona and the peripherical zones of Ireland, South Italy and Greece.

- Differences exist in size (5 big countries represent 86 % of GNP and 83% of total population), in GNP per capita (Danish figures are five times higher than Portuguese figures) and in terms of population density (Belgium, the Netherlands, Germany, U.K. versus France, Spain, Ireland).

- As to the demographic evolution, secular decrease differs in member countries (Germany, U.K. Belgium and Denmark have a stagnation or even a demographic decrease; Spain and France still have positive population rates). Internal migration flows have diminished, but Spain, Portugal and Greece remain countries of emigration, while the Northern countries continue to absorb a net influx of immigration.

- In the structures of active population indicators reveal common tendencies to all countries, but from sensibly different starting points.

  ° A general diminution in percentage of the active population is compensated by an increased participation of women in the labourmarket (nearly 40% for the Community as a whole, Denmark 46 % to 30% in Ireland).

  ° The division of the active population is dominated by a reduction in the agricultural sector and an increase in the service sector. Still differences exist. In some countries agricultural employment tend to stabilise at low levels (Germany, France, U.K.) while it continues to decrease from still high levels (Ireland, Spain, Greece, Portugal).

  ° Employment in services is situated at relatively different levels (7O % in the U.K., Denmark, Benelux) only 53 % in Germany).

- External trade figures reveal the influence of the size of the country and its degree of development (Belgium, NL. Ireland: 77 à 58 %; Germany, U.K., France, Italy: 25 à 29 % and Spain: 2O%). They indicate inequalities in the levels of development, income and economic performance and national particularities.

2) Differences in the conceptions and organisation of the economy.

- Differences in the conception of external economic relations of the Community. The debate between an open Community and a more protectionist Community has taken a new dimension with the realisation of the internal market. Ongoing discussions often do not reflect actual attitudes. It is rather in the face of concrete challenges that Community negotiators try to force their divergences in interest or conceptions into operational solutions. Common solutions are negotiated as to the perception of the problem (i.e. confidence in the competitivity of the market and enterprises; dependence on external trade, reaction to international markets, level of protection measures, impact on cultural and political autonomy) as well as to the formulation of viewpoints (external political constraints, political style, etc.).

- Different conceptions of the state and their impact on the negotiation and Community work with regard to the level of centralisation of political decisions (France vs. Germany) and to the concept of general interest:

  ° in the monetary field : the role of the Central Banks and the function of the future European Bank ;

  ° in the field of education: the level of autonomy of universities and the role of public and private national authorities;

  ° in the field of research : the role of the public and private sector (foundations) in the financing of research;

° in the economic field: the role of professional association and social partners.

These different interpretations of the general interest by the member states have consequences on the decision making process in the Community and should be made explicit.

- Differences in the conceptions in the field of social policy. Despite the convergence of the social models a double cleavage can be observed :

  ° The first distinguishes the British from the continental countries. The terms of consensus, social cohesion, and more concretely, the social dialogue on interprofessional level, important for the Northern and Southern European countries, do not very well fit with the British culture of industrial relations (from trade union side as well as from industry). British industrial relations represent a conflict model which is centred on concrete negotiation and do not concern the actual impact of those abstractions (e.g. Trade unions in U.K. and Germany).

  ° A second difference opposes the German (or Danish) attitudes to the French (or Italian) ones as to the autonomy of the social partners, the concept of social peace and the use of strikes and their attitudes to further European harmonisation in the social field in relation to their social acquis.

In sum, the European Community system has focused on a process of integration of actors, economic actors in the first place but also social ones, centred on a practice of shared sovereignty, which, through the principle of subsidiarity, permits the coexistence of neatly differentiated juridical, educational and social systems. Colin Crouch's forthcoming book on *Industrial Relations and European State Traditions* (1992) analyzes how the industrial relations-systems of 15 Western countries have changed over time. These developments are explained by reference to the unity/diversity theme in Western European experience and the ongoing market/state/society debate.

2.3.2. New diversities within European countries

Historical analysis of the Western European experience over the last decades has shown increased interdependence and integration. Among European countries, those developments have led to convergences in certain sectors. V. Wright (1990) argues that this increased interdependence and integration has also led with varying effects to an increased differentiation and diversity in the economic and social structures and systems. Specialisation of sub-systems with various market size will become a regular response to the internationalisation of the different economic systems in Europe. Local markets will have to specialise to survive. Resistance will also emerge to cultural homogenisation, because groups and individuals will look to reaffirm their identities. Through the mechanism of mediations and negotiations in the process of change, Europe converges to a certain level of social and economic cohesion, but the answers within each country might often differ.

While Europe is integrating politically and economically, are differences between an Atlantic, a Middle European, a Nordic and a Meridional orientation not becoming more apparent within the Community and even within some of its countries (e.g. Italy), at the very time when mass communication and migrations are exploding traditional communities? Moreover, one should not minimise the contrast between the disintegration of the East and the integration of the West. Both are experiencing the dialectics of diversity and convergence in a different way and with seemingly opposing time persectives.

The main problem in Europe seems to be destabilisation through openness: economic destabilisation through trade, cultural destabilisation through immigration. If handled unilaterally, these destabilisations could lead to mutual, if imperfect closure and to mutual resentment. If handled together, they may be to the benefit of all. This is particularly true for international institutions such as the CSCE and the European Community whose task is to contribute to the multilateral management of the mutual opening of societies through communications and migrations. A comparative study of European societies at a disaggregated level is therefore timely.

3. Conclusion

The results of the FAST research programme on *L'Europe de la diversité* (1991) detect two major sociological transformations, i.e. growing uniformisation measured by quantitative indicators and a multiplication of life styles expressed by the various personal preferences. According to these studies European societies seem to develop a seemingly contradictory development of a uniformity of a culture of consumption and a personalised individual life.

Available European statistical data suggest the existence of a predominant tendency to homogenisation in Western Europe, mainly indicated by national averages in demography, consumption spending, behaviour patterns, etc. Science and technology contribute to this apparent homogenisation by the establishment of technical macrosystems, the existence of the information society and increased technical equipment of households. All European societies follow the market and industrial society model in varying degrees.

In spite of the many signs of homogenisation, diversity of life patterns continues to exist in European countries. Recent, sociological studies indicate that the actual functioning of economic systems cannot be explained by a mere number of aggregate indicators, but have to be understood in its coherence, determined by the geographical context, the recent history, the organisational patterns and the different actors involved.

These different tendencies seem to be situated in a historical dynamism (E. Morin, 1987, K. Pomian, 1990). Neither complete uniformisation nor cultural dispersion of the European space will be the outcome of the process of mutation and continuity. With V. Wright (1990) I would agree that the always existing tensions in European societies between individual and social choices, market and State objectives and between traditional and new values have become more visible and perceptible in present Europe. A solution may only be found in mutual comprehension of the complexity of the European societies.

Recent developments within the European Community seem to suggest that the construction of a supranational cohesion has to pass partly by the region. The region is seen as a potential engine of dynamism and a concrete dimension of the identity of socio-economic actors. Regional as well as economic historical analyses suggest a renewed emphasis on societal differences, certainly in terms of life patterns. These specificities in values, collective management of local life and daily behaviour are not measured by socio-economic indicators. Regional patterns have their own dynamics which can only be assessed in disaggregated figures in relation to the geographical dimension, the economic and production system, population and demography, education systems, consumption patterns, etc.

In other words, the generalised scientific-technical development in Europe has to be linked to the industrial, social and cultural traditions of countries and regions. A cultural anthropology approach may help to understand and valorise the importance of local specificities in the economic systems. Convergence trends then seem to provide the common platform which allows each region to live its diversity.

A more qualitative and less aggregated approach of economic and social reality is therefore needed to gain concrete insights into the dynamic relation between diversity and convergence of European societies. This might allow a better understanding of the European societies in which sources of diversity and factors of homogenisation are well balanced. Following Edgar Morin (1987) an empirical look at the «homo Europaeus» in his contemporary social and cultural condition is therefore needed.

II . The complexity of European societies versus the economic simplification of reality

The high complexity and intricate interaction of many fields in societies urge for a better understanding of concrete realities. Economics is predominantly based on convergence assumptions and its analysis does not often contain explanatory power for consistently divergent economic developments. Moreover economic approaches are often limited to an analysis of the nature and operation of an economic system in terms of its social preference function (i.e. the country's effective aggregate preferences regarding the ends and means of economic activity), its institutions and instruments (i.e. organisational arrangements for conducting production and distribution) and patterns of resource allocation and income distribution.

1. Understanding economic systems

In the existing literature on comparative economic systems (Bornstein, 1989, Gardner, 1988 etc.) the (regional, national or European) forces influencing the economic system are grouped into three main categories: 1) the level of economic development; 2) social and cultural factors and 3) the environment.

- The level of economic development can be measured and compared by various indicators, including the level of per capita income, the rate of growth of per capita income, the share of investment in GNP, the share of primary, secondary and tertiary activities in total employment or GNP, and so forth. Whichever measures are used, it is clear that economic growth alters the size and structure of the economy, and that these changes in turn modify the economic system.

- Many aspects of society and culture, influence the economic system. One is social stratification, based on race, occupation, income, wealth, religion, or other factors. Another is the customs, traditions, values, and beliefs of society. Often it is through perception, attitudes, norms, institutions and patterns of behaviour that the social and cultural forces are expressed and operate.

- The natural environment of an economic system includes such elements as the size (territory and population), the location (topography, climate, access to the sea, etc.) and natural-resource endowment of the economy. Other aspects of environment are contacts with other economic systems and the resulting mutual interdependence.

To analyse how these various forces influence economic systems at European, national and regional level, is to study their internal dynamics. Important is that economics takes into account the specific dialogical character of European identity. An economic approach, which includes changes and continuity in its analytical framework for understanding economic systems, may give a positive contribution to the comparative study of European societies.

2. Conventional economic analysis : framework and evaluation

At the basis of the conceptual paradigm of economics lies the postulate of *homo economicus*, a simplified set of assumptions about human action, seen as the result of the behaviour of isolated individuals, each pursuing his own interests and making free and rational choices after having calculated prospective costs and benefits. Standard economics ignores by abstraction the *homo ethicus* (Etzioni, 1988, Sen, 1987), or the *homo socialis* (Goodwin, 1991, Lutz, 1990) and reduces its analysis to the application of the mechanisms of utility and self-interest.

According to A. Hirschman (1986), the abstract purity of the postulate has however the inconvenience to turn the economic reasoning to a simplified argument. The question is why a science interested in economic means, ends and distribution should dogmatically refuse to study also the process by which new economic means, new economic ends and new economic relations are created with changing preferences and tastes, embedded in societal developments.

The creative simplification of the complexities of human nature and social relations by economic analysis means that cultural values are reduced to (fixed) tastes and preferences, collective action is seen as an aggregate of individual rational actions, social relations reduced to monetary exchange relations and government policy is seen as the result of the will of the people. Such a disciplinary approach expresses at the scientific level the social differentiation of relations of production and distribution from family to community relations.

The complexity of the concrete world is dealt with by existing economic theory in three different strategies: an exclusion of non-economic phenomena which could blur the simplicity of the model, in order to preserve rigour of economic theory; a widening of the boundaries of economic theory and a modification of the theory at the cost of a fragmentation of economics into conflicting paradigms (Himmelstrand, 1992).

There has been in the last three decades, a vast expansion of economics into territory previously occupied by other social sciences (e.g. Buchanan, 1978 & 1984, Tullock, Becker, 1976 etc.). This form of economic imperialism launches economics as a general approach to human behaviour. This attempt to widen the scope of economics has, ironically, helped to bring into question some of the basic assumptions of the rational models. From real world evaluations of economic analysis it seems that such an economic approach can only give a partial explanation of social life.

It is precisely the claim to present economic theory as an exhaustive account of the structure of functioning of modern society and to consider economic laws as natural laws applicable to any historical period and to any society that is put into question when real-world phenomena have to be interpreted. The socio-cultural patterns of society reflect tastes and functions which are often overlooked in economic analyses or rationalised in economic models. Of course, economists of different schools and periods differ according to the scope of applicability of their models (Roll, 1990).

The loss of interest within the economic profession in the cultural matrix of its own discipline has been a continuous development. By the late 19th century economics has split into two opposing camps based, at least partly, on conflicting views about the impact of culture on economic behaviour. Mainstream economics lost its original sense of culture and became an abstraction free of culture. As a consequence, economics developed in various fields with partly an extension to all productive activities and partly an increase in theoretical models, less and less inspired by the effort of understanding reality and man's place in society.

However, not all schools of Western economic thought lost sight of the societal dimension. According to institutionalists economic behaviour is subject to the cultural and legal context of a given country and of a specific period of history (Samuels, 1988, Hodgson, 1988 etc.). They argue that the so-called universally valid fundamental principles of economics are determined by their institutional setting, defined by the cultural patterns of society. Gordon and Adams (1989) claim that the evolutionary nature of the economic progress in different societies cannot allow for generally valid economic theory.

Institutional theory also gives attention to the formation of tastes and preferences in society, the long-term dynamics of the economic system, and the roles that changing habits and beliefs and societal organisational structures play in explaining economic behaviour. Hodgson (1988) argues that economic analysis should encompass an understanding and explanation of economic circumstances and processes in the context of the societal dynamics in which they arise. In other words, an important link exists between socio-economic events and cultural changes on the one hand and the development and affirmation of certain economic theories on the other.

It is difficult to perceive, apart from heuristic reasons (Benton, 1990), that the economic actor is a mere individual maximising utility, divorced of the social context. He seems rather a person with definite social needs which economics as a science cannot afford to ignore if it is to play a role in understanding, assessing or even solving differences in societal realities. This preoccupation with the social context implies ethical considerations and an analysis of how observed social values are institutionally expressed in structures (Etzioni 1988,

114

Goodwin 1991, Lutz 1990, Lutz/Lux 1988, Samuels 1988, Sen 1987).

According to Granovetter (1985), economic behaviour and economic institutions are so constrained by ongoing social relations that to construct them as independent is a grievous misunderstanding. He calls this «the embeddedness of economic action». There is a widespread rediscovery of what Berger (1987) has termed economic culture, embedded in the centre of contemporary capitalism. This is quite at odds with the conventional conception of most economics (Clegg and Redding, 1990).

In economics, two neatly distinct coherent scientific structures exist probable more than in other social sciences: the construction of knowledge of concrete economic realities, and the elaboration of abstract theoretical models. Beaud (1991) argues that a gap exists in economics between the theoretical elaboration with its axiomatic predominance and the works devoted to the knowledge of concrete economic realities. However, the economic field intertwines with the social, political and historical context. It is therefore difficult to delimit the sphere of economics and confine its scope to the study of how given means are applied to satisfy given ends in different contexts.

Nineteenth century social sciences have left the legacy of a social reality divided in three different and separate fields: the political, the economic and the socio-cultural field. Applied knowledge has been developed around these three sets of variables. Economic phenomena are those related to the fictional market, political phenomena those related to State decision-making, and socio-cultural phenomena those presumably determined by our states of mind (usually thought to be more subjective as opposed to the more objective constraints of the market and the state).

This is not very useful in terms of how the world really works. No one subjectively has three segregated motivations. There are few institutions that operate in fact exclusively in one field. In practice, a comparative study of European societies should be holistic if it is to have even face value validity. So why do we avoid the issue theoretically? According to Wallerstein (1991) the holy trinity of politics/economics/society-culture has no intellectual heuristic value today. It probably never did, but it certainly does no longer.

3. *Conclusion*

It seems to me that the complexity of human nature and social reality cannot be left to the mere explanation of the economic models. This means that the complexity has to be either reintroduced in economic approaches or become the specialised object of other disciplines. The development of other disciplines, sociology, political science, psychology, anthropology can throw light on those aspects of social reality which are excluded by economic models.

Rejecting the question of values, most economists have limited themselves to what they believed was a purely objective position of how economic systems work and how persons and groups of persons behave in societal contexts. They claimed to make objective judgements and recommend no prescriptions. This was supposed to be the field of politics, not of economics. Still, if it is the case that a social science cannot get away from value judgements then the danger comes, not from making values judgements, but from being unaware of what those values are operating.

Moreover, multiple institutional demands come to impinge on individuals who are necessarily involved in many different institutional complexes. By virtue of circumstance, the problem of analysing the outlooks and behaviours of individuals becomes how the individual struggles to come to terms with a multiplicity of bases for priority-making, decisions, and action. This implies a kind of meta-rationality, involving decisions which imply the relative priorities among ranges of types of utility. This argument also holds for the understanding of Western European societies by disciplinary approaches.

III . An interdisciplinary approach to the study of European societies

In the last part of this chapter we ask ourselves which economics we need to understand real world phenomena in the complex of European societies and make useful contributions to European studies. Economics should be a societal approach in which the underlying values, the historical context, the institutions and the socio-cultural realities of the economic developments in the European societies are an integral part of its explanatory framework.

Hirschmann (1984) argues that the discourse of political economy has to be widened in a number of ways. The changing of preferences, the form and nature of activities and the motivations of activities should be introduced in analytical reasoning in economics. These different complications of the traditional concepts in economic approaches all have the same origin: the enormous complexity of the human nature that economic theory has neglected but that has to be reintroduced if realism and comprehensive power of the analysis are the objectives.

1. Challenges to disciplinary boundaries: «savoirs économiques» and historical dimension

There are a number of reasons for launching an interdisciplinary approach (Himmelstrand, 1992) to the comparative study of European societies. Historically, there has been an increasing number of factors and actors entering the arena of economic processes and events which contribute to the complexity of contemporary societies. At the same time economic theory has undergone a process of successive theoretical simplifications. As a result of these two simultaneous and divergent trends, we are now faced with an increasing discrepancy between an increasingly complex global reality and an increasingly simplified theory which seems unable to account for what goes on in the real world.

The awareness of the limits to economic imperialism has led to various attempts to revise the economic approach and even to combine it with other approaches(sociology, psychology, history, antropology, etc.). Most of these attempts focus on the model of man, and not on the one-dimensional economic man. Some economists are directing their attention to institutions and organisations. This is very much the traditional approach of antropology, sociology and political science. We may see a return to traditional institutionalism as suggested by Geoffrey Hodgson in his book, *Economics and Institutions* (1988).

Economists should collaborate with other disciplines and scientists from other disciplines. This could lead to an endogenization of economic theory into the broader interdisciplinary framework which takes into account the embeddedness of the economy in a larger context of normative, technological, organised and natural orders. This is contradictory to what the public choice theory does by the endogenization of non-economic exogenous variables into economic theory (Buchanan, 1984). However, some economists (Boulding (1955 & 1978), Cipolla (1976), Dockès/Rosier (1991), Galbraith (1989), Goodwin (1991), Lutz/Lux (1988), Samuels (1988) etc.), criticize the concentration on rather limited and theoretically stringent models of economic processes and stress the historical dimension of economic realities.

In short, the contribution of the economic discipline to an interdisciplinary study of European societies cannot be based on the assumption of the one-dimensional man, guided by the search of individual interest, and operating in a one-dimensional society, reduced to a balance of individual choices. Man's capacity to communicate and evaluate his proper behaviour between utilitarian and non-utilitarian actions and between individual interest and other aspirations has to be taken into account. This is certainly true when the convergences and diversities between European societies are being explained.

The institutional theory states that economic reality is determined by the institutional setting distilled from the cultural patterns of society. Economics is a societal science, meaning that political, social, cultural, historical and moral conditions and situations should be systematically integrated in its analytical reasoning. Therefore, we propose an economic approach which assumes that the economic reasoning can not be reduced to the reasoning of the *homo oeconomicus*; that economic knowledge («savoirs économiques») has to take in to account a complex and dynamic reality determined by past, present and future developments and finally that economics has to co-operate with the other sciences to fully comprehend and illuminate man's place in society.

Such an approach implies the emphasis on the historical dimension of economics and its subject. History, or knowledge of the societal context, helps the scientist to think about the (changing) nature of the subject, his (changing) place in the global social reality and the relation between «savoirs économiques» and economic reality. It claims that the knowledge of the historical, cultural and social context is necessary to comprehend actual economic developments and systems. In other words, an interdisciplinary approach, as proposed in this project, can contribute to an increased comprehension of the different economic realities and developments in the member states, and thus of the existing European societies.

Within the convergence versus divergence context in Europe it becomes therefore necessary to undertake a revaluation of the «savoirs économiques». Theoretical abstract elaboration does not permit to guide concrete economic action, it may only provide some general guidelines. It is rather in the realm of the efforts to acquire knowledge of concrete realities that the conditions for studying and understanding the economy in societal context have to be elaborated. Efforts to acquire knowledge can develop only in a framework which succeeds to combine observation of reality, theoretical elaboration and historical dimension. Moreover, to define the concrete contents of the subsidiarity principle in the different domains of European policy-making, an increased knowledge of the «savoirs économiques» seems necessary.

The historical dimension is needed in order to situate and determine the subject of study, on general and specific level (Field, 1987). This allows to place economic reality in the social totality. The historical dimension is also needed to situate the subject in the global field of the economy. A new pluri-dimensional framework is emerging. Once the analytical framework is elaborated, the historical dimension is essential to guide and clarify the use of theoretical instruments in explaining economic developments.

In sum, a revaluation of the «savoirs économiques» and the importance of the historical context are the main elements for a new economic approach to societal problems. In ethnology, anthropology and sociology as well as in other human sciences, the impact of socio-cultural realities on economics, politics, law and on social life in general is well known. The interplay between political, economic and socio-cultural dimensions makes up the more or less integrated complexity that constitutes social action. The proposed interdisciplinary approach, if carried out with sufficient coherence, historical depth and comparative culture, could contribute to a fuller comprehension of actual societal developments and events in Europe.

2. *Challenge to conceptual distinctions: pluralism*

Just as disciplinary boundaries are being challenged, so have conceptual distinctions. Interdisciplinary approaches to the study of societal problems emerge as the search for conceptual order and clarity often capitulates in the face of the seemingly disordered and immensely complex reality and the challenge of post-modernism to rationality and all forms of progress. (Billington et al., 1991).

What our societies need, is mutual understanding among the different systems. Otherwise we could end up living in a world misguided by so-called (economic) rationality. Therefore, according to Alain Tourraine (1990), we should abandon the idea of homogeneous societies and of a society reduced to a market in which consumers are able to detect their interests and organise their social, political and cultural behaviour adequately.

The notion of pluralism exactly catches the underlying force of modern European society. It is a principle guiding our thinking about the political structure of the State, the economic relations, the relations between different regions and the cultural developments. Alting von Geusau (1990) defines pluralism as a positive attitude towards diversity which he sees as the prime characteristic of modern society in Europe.

This concept of a pluralist society presents two challenges in Europe: we should learn to practice tolerance for diversity without preaching relativism towards fundamental moral principles, and we should practice respect towards others without preaching indifference to them. The changes taking place in Europe, the realisation of the internal market by 1993 and the construction of a European Union could be better understood within such a conceptual framework. Such pluralism allows for a positive attitude towards diversity within the existing convergent trends of global economic trends.

Pluralism as a principle is closely related to the concept of civil society. We are experiencing a sort of renaissance of the concept of civil society based upon an elaboration of the principle of pluralism. As a concept, civil society is understood in contrast to the concept of the State, and expresses the conviction that society cannot be reduced to State structures. It represents an effort to resist or limit the power of the State with a view to protect spheres of autonomy for the human person and a variety of social organisations and associations.

The usefulness of such a concept of civil society on the European level is clear. European pluralism extends to the political, the economic, religious and cultural spheres. It originated by tradition and history, resistance, default and immigration. To base a study of European societies on such concept could increase the actual understanding of the various realities and developments in the countries. With Europe entering in a new era in its history, the development in East and Central Europe even holds the promise of reuniting European cultural area on the foundation of political and economic pluralism.

3. Conclusion

It is impossible to build a unified theory of how economic systems work in different historical and institutional contexts. Some economists such as Galbraith (1989), Boulding (1955 & 1978), Lutz/Lux (1988), Samuels (1988) etc. propose a historical-institutional approach in economics as the only means capable of penetrating the complexities of the real world. Only with such an approach economics will make a valid contribution to the comparative study of European societies. William Dugger (1977) has specified the five characteristics of the economic approach to the comprehension of societal realities we propose for our study.

- It is a value-directed approach: the epistemological validity of normative value judgements is accepted. A value-free economic science is probably impossible and certainly undesirable: impossible because most economic concepts are saturated with implicit value premises; undesirable, because normative value judgements are necessary tools for any social scientist who aspires to be both empirically relevant and socially responsible. It also implies that the normative preconceptions are ultimately based on the Judeo-Christian tradition of Western civilisation.

- Amelioration rather than preservation is the aim: the mainstream of orthodox economics is always conservative in the sense it is dedicated to the preservation of the current socio- economic structure and organisation. It provides an apologetic rationalisation for the status quo.

- Understanding is sought through a holistic rather than a reductionist approach. The economy is considered at the level of global awareness which comprehends the whole, rather than that at the level of subsidiary awareness, which concentrates on the parts. The holistic approach is very valuable in the understanding and assessment of concrete societal realities and actual developments in different European countries.

- Society is viewed as an organic whole, rather than as a sum of its mechanical parts. The economic system is an extremely complex matrix of interactive behavioural variables within society.

- It is an activist approach, rather than the pursuit of a more passive role with respect to theory and practice within the limitations of the own life-situations.

In sum, methods of teaching and training in the growing discipline of European studies should take into account crucial issues as convergence and diversity between European societies. This is equally true for a full understanding of the different national and regional economic systems in Europe. The interdisciplinary approach to the comparison of European societies as proposed by this project will undoubtedly increase the knowledge about the changing European reality. In economics, such an approach implies an emphasis on the historical dimension as well as on a revaluation of the «savoirs é conomiques». The proposed international and interdisciplinary cooperation should have an impact on the formation and training of future economic actors (managers, civil servants, economists, etc.).

IV . Bibliography

Alting Von Geusau, F., «European Pluralism in a New International Order», in *Notes et Documents*, janvier-août 1990, p. 20-28.

Aron, R., *Dix-huit leçons sur la société industrielle*, Paris : Gallimard, 1962.

Beaud, M., «Economie, théorie, histoire: essai de classification», in *Revue Economique*, Vol. 42, No. 2, Mars 1991, p.155-172.

Becker, G., *The Economic Approach to Human Behavior*, Chicago: University of Chicago Press, 1976.

Bekemans, L., «European integration and Cultural Policies: Analysis of a Dialectic Polarity», *EUI Working Paper* ECS, NO 90/1, Florence: European University Institute.

Bekemans, L., «Economics in Culture Vs Culture in Economics», *EUI Working Paper* No 89/389, Florence : EUI.

Bekemans, L. and A. Baladimos, *Etude concernant les modifications apportées par le Traité sur l'Union Politique en ce qui concerne l'éducation, la formation professionnelle et la culture*, Luxembourg: Parlement Européen, Direction Générale des Etudes, Dir. A, 1992.

Bell D., *The Cultural Contradictions of Capitalism*, New York: Basic Books, 1976.

Benton, R., «A Hermeneutic Approach to Economics: If Economics is not a science, and if it is not merely mathematics, then what could it be?», in *Economics as Discourse*, Samuels, W. (ed), 1990, p.65- 99.

Berger, P., *The Capitalist Revolution*, London: Wildwood House, 1987.

Billington R., S. Strawbridge, L. Greensides and A. Fitzsimons, *Culture and Society*, London : McMillan, 1991.

Bollinger, D. and G. Hofstede, *Les différences culturelles dans le management, Comment chaque pays gère-t-il ses hommes?* Paris: Les éditions d'organisation, 1987.

Bornstein, M., *Comparative Economic Systems, Models and Cases*, Boston: Irwin Inc., 1989.

Boulding, K., *Economic analysis*, New York: Harper & Brothers, 1955.

Boulding, K., *Ecodynamics: A new theory of Societal Evolution*, Beverly Hills: Sage Publications, 1978.

Buchanan, et al., *The Economics of Politics*, London: The Institute of Economic Affairs, 1978.

Buchanan, J. and R. Tollison, *The Theory of Public Choice*, Ann Arbor: University of Michigan Press, 1984.

Cappecchi, V., M. Diewald, V. Gallardo, B. Joerges, C. Moricot, A. Pesce, M. Roque, V. Scardigli et R. Tourreau, *L'Europe de la diversité. Modes de vie, Cultures, Appropriations de la Technique*, Bruxelles: CEE, Rapports Monitor-Fast, 1991.

Cecchini, P., *1992. Le défi. Nouvelles données économiques de l'Europe sans frontières*. Un rapport issue du projet de recherche sur le coût de la non-Europe, Flammarion, 1988.

Cippolla C. (ed), *The Fontana Economic History of Europe*, Glasgow: W. Collins, 1976.

Clegg S. R. and S. Gordon Redding, *Capitalism in Contrasting Cultures*, Berlin, New York: Walter de Gruyter, 1990.

Commission des Communautés européennes - Cellule de prospective: *L'Europe dans le mouvement démographique*,

Luxembourg: Office des publications officielles des Communautés européennes, 1992.

Crouch, C., *Industrial Relations and European State Traditions*, Oxford: Clarendon Press 1993.

Dockès, P. et B. Rosier (eds), Economie et Histoire. Nouvelles Approches, in *Revue Economique*, Vol. 42, Nr; 2, Mars 1991.

Dugger, W., «Social Economics: one perspective», in *Review of Social Economy*, Vol. 35, December 1977, p. 299-310.

Esping-Andersen, G., *Politics against Markets*, Princeton: Princeton University Press, 1985.

Etzioni, A., *The Moral Dimension: Toward a New Economics*, New York: The Free Press, 1988.

Field, A., *The Future of Economy History*, Boston : Kluwer, Nijhoff Publishing, 1987.

Flora, P. et al., *State, Economy and Society in Western Europe, 1815-1975*, 5 Vol., London: MacMillan, 1983-1987.

Friedland R. and A.F. Robertson, *Beyond the Market Place: Rethinking Economy and Society*, New York: Walter de Gruyter,1990.

Galbraith, J., *L'Economie en perspective, une Histoire critique*, Paris: Seuil, 1989.

Gardner, S., *Comparative Economic Systems*, New York: The Dryden Press, 1988.

Georgescu-Roegen N., *The Entropy Law and the Economic Process*, Cambridge, Massachusetts: Harvard University Press, 1971.

Goodwin, N., *Social Economics: An Alternative Theory*, London: McMillan, 1991.

Granovetter, M., «Economic Action and Social Structure: the problem of embeddedness», in *American Journal of Sociology*, Vol. 19, Nr.3, p. 481-510, 1985.

Habermas, J., *On the Logic of Social Sciences*, Cambridge: Polity Press, 1988.

Hall, P., *Governing Economy, The Politics of State Interventionism in Britain and France*, Cambridge: Polity Press, 1986.

Harding, S., D. Philips & M. Fogarty, *Contrasting Values in Western Europe*, London, 1986.

Hassner, P., Culture and Society, in *The International Spectator*, Volume XXVI, NO.1 January-March 1991, p. 136-153.

Hausman D. (ed.), *The Philosophy of Economics. An Antology*, Cambridge: Cambridge University Press, 1988.

Heilbronner, R., *Behind the Veil of Economics: Essays in the Worldly Philosophy*, New York and London: W.W. Norton & Company, 1988.

Heilbronner, R., *The Making of Economic Society*, Englwood Cliffs: Prentice-Hall, 1980.

Himmelstrand, U., *Interfaces in Economic and Social Analysis*, London: Routledge, 1992.

Hirsch, F., *Social Limits to Growth*, London: RKP, 1977.

Hirschmann, A., *Vers une économie politique élargie*, Paris: Minuit, 1986.

Hirschman, A, *L'économie comme science morale et politique*, Paris: Gallimard, Le Seuil, 1984.

Hirschmann, A., *The Passions and Interests*, Princeton: Princeton University Press, 1977.

Hodgson, G. *Economics and Institutions. A Manifesto for a modern institutional economics*, Cambridge: Polity Press,1988.

Inglehart, R., *Culture Shift in advanced industrial Society*, Princeton: Princeton University Press, 1990.

Iribarne(D'), P., *La Logique de l'honneur. Gestion des entreprises et traditions nationales*, Paris : Seuil, 1989.

Kerkhofs, J., «Les Valeurs des Européens», in R. Picht and J. Vandamme (1991), p. 161-18O.

Kroeber A.L. and Clyde Kluckhohn, *Culture: a Critical Review of Concepts and Definitions*, New York: Vintage Books, 1963.

Jones, B., *The Worlds of Political Economy*, London: Pinter, 1988.

Lutz M. and K. Lux, *Humanistic Economics: The New Challenge*, The Bootstrap Press:New York, 1988.

Lutz, M. *Social Economics: Retrospect and Prospect*, Boston: Kluwer Academic Publishers, 1990.

Mendras, H. and D. Schnapper, *Six Manières d'être Européen*, Paris: Gallimard, 1990.

Mermet, G., *Euroscopie. Les Européens. Qui sont-ils? Comment vivent-ils?* Paris: Larousse, 1991.

Morin, E., *Penser l'Europe*, Paris : Ed. Le Seuil, 1987.

Morin, E., *La Méthode. La Connaissance de la Connaissance*, Paris: Ed. du Seuil, 1986.

Parsons, T. and Neil J. Smelser, *Economy and Society*, The Free Press: New York, 1969.

Petit, M. et al., *L'Europe interculturelle. Mythe ou réalité*, Paris: Les Editions d'organisation, 1991.

Peretti, J.-M., et al., *Vers le management international des ressources humaines*, Paris: Editions Liaisons, 1990.

Pheby J., *Methodology and Economics. A Critical introduction*, London: The MacMillan Press Ltd., 1988.

Picht, R., *L'Europe Mal Connue, L'Etude des réalités socioculturelles: bilan et propositions*, Strasbourg: Conseil de l'Europe, 1991.

Picht, R. et J. Vandamme, *A la recherche de l'identité européenne, Analyses et propositions pour le renforcement d'une Europe pluraliste*, Bruxelles : TEPSA, 1991.

Piquet Marchal, M.-O., *Histoire économique de l'Europe des Dix*, Paris: Librairies techniques, 1985.

Pomian, K., *L'Europe et ses Nations*, Paris: Gallimard, 1990.

Roll, E., *A History of Economic Thought*, London: Faber & Faber, 1990.

Samuels, W., *Economics as Discourse. An Analysis of the Language of Economists*, Boston: Kluwer Academic Publishers,1990.

Samuels, W., *Institutional Economics*, Aldershot: Edward Edgar, 1988.

Scardigli, V., *L'Europe des modes de vie*, Paris: Ed. du CNRS, 3ème édition, 1989.

Sen, A., *On Ethics and Economics*, Cambridge, Massachusetts: Basil Blackwell Ltd., 1987.

Shackleton, M., «The European Community between three ways of life: a Cultural Analysis», in *Journal of Common Market Studies*, Volume XXIX, No. 6, December 1991, p.575-601.

Snow, C.P., *The Two Cultures and the Scientific Revolution*, Cambridge : Cambridge University Press, 1962.

Stoetzel J., *Les Valeurs du temps présent. Une enquête européenne*, Paris, 1983.

Tavitian, R., *Le système économique de la Communauté européenne*, Paris: Dalloz, 1990.

Thurley, K. et H. Wirdenius, *Vers un management multiculturel en Europe*, Paris: Les Editions d'organisation, 1989.

Tourraine, A., *La Société post-industrielle*, Paris: Denoël, 1969.

Tourraine, A., «Existe-il encore une société française?», in *Six Manières d'être Européen*, D. Schnapper et H. Mendras (eds.), p. 143-172.

Wallace, W. (ed), *The Dynamics of European Integration,* London: Royal Institute of International Affairs, 1990.

Wallace, W., *The Transformation of Western Europe*, London: Royal Institute of International Affairs, 1990.

Wallerstein, I., «A Theory of Economic History in Place of Economic Theory?», in *Revue Economique*, Vol. 42, No. 2, Mars 1991, p.173-180.

Wendell, G. and J. Adams, *Economics as Social Science: An Evolutionary Approach*, Riverdale: The Riverdale Company, 1989.

Wright, V., «Immuable Angleterre», in *Six Manières d'être Europeén*, D. Schnapper et H. Mendras (eds), p. 93-123.

FORMATION INTERNATIONALE ET ETUDES EUROPEENNES COMPAREES

Finalités et problèmes méthodologiques

Professor Dr. Robert Picht

1. Apprendre à comparer :
Une priorité pour toute formation internationale

Toute tentative de coopération internationale entre individus ou institutions se trouve confrontée à la diversité des conditions nationales. D'une manière spontanée, celle-ci est soit sous-estimée tant que tout a l'air de se passer sans trop de complications, soit sur-estimée dès que les premières difficultés surgissent. (C'est ainsi que, par exemple, les milieux économiques habitués à appliquer partout la même mesure sont particulièrement enclins à parler de "mentalités" nationales dès que leur rationalité habituelle - souvent marquée par leur propre culture nationale - se trouve remise en question.) Au-delà de l'échange simple d'informations standardisées et d'objets finis, toute communication et toute coopération internationales mettent en jeu la diversité des champs dont sont issus et auxquels se réfè-rent les partenaires.

Problèmes sémantiques

Cette diversité commence dans le domaine linguistique. Même si les partenaires parlent apparemment la même langue (en occurrence un Euro-English fort réduit) les connotations qu'ils attachent aux notions utilisées peuvent rester fort différentes. D'une manière généralement inconsciente, chaque dialogue constitue donc une tentative plus ou moins réussie de se mettre d'accord sur les concepts utilisés (*negotiation of meaning*) pour établir un minimum d'entente (*common ground*). La communication est d'autant plus fructueuse que les partenaires sont conscients de cette difficulté sémantique et capables de comprendre et de se faire comprendre en explicitant - si nécessaire - les références essentielles. Cette négociation terminologique (qui porte en même temps sur les *terms of trade* de l'échange) est forcément comparative pour corriger à la fois les analogies erronées et les fausses antithèses, sources de préjugés tenaces et de malentendus fréquents.

Clarifier les concepts, établir des références sémantiques fiables est une tâche qui dépasse largement le travail lexicographique. Comprendre la portée de termes comme "«Etat», «syndicat», «impôt» ou «université», implique une comparaison des systèmes nationaux et des traditions dans lesquelles ils se situent. Une simple orientation terminologique doit donc déjà faire appel à des savoirs et des savoir-faire comparatifs considérables. Leurs références, pour être utiles, devraient être ciblées selon les besoins du dialogue ou de la négociation en cours. Comme ceux-ci ne peuvent être prédéterminés par des dictionnaires ou des manuels quelconques, c'est donc aux partenaires eux-mêmes qu'incombe le *negotiating of meaning* selon les besoins et les possibilités de la situation concrète.

Pour les y préparer d'une manière adaptée, ou ne pourra donc pas se contenter de faire référence à des encyclopédies comparatives qui véhiculent trop ou trop peu d'informations spécifiques. Il conviendrait par contre de renforcer une formation européenne qui transmette d'une manière exemplaire une initiation aux problèmes de la comparaison et le savoir-faire nécessaire pour pouvoir recueillir et confronter ultérieurement les informations et les analyses adaptées aux situations concrètes.

La diversité des modes de penser et des comportements

Ce besoin d'une formation comparative assez sophistiquée concerne encore plus le domaine délicat des modes de penser et de procéder et des comportements sociaux. Fréquemment, des tentatives de dialogue et de coopération n'échouent pas seulement sur une information insuffisante ou erronée, mais sur la différence ou l'incompatibilité des démarches intellectuelles, des attitudes et des comportements. Même dans des secteurs qui se prétendent universels comme les sciences et la technologie, les modes de procéder présentent des variations considérables qui ne sont pas seulement disciplinaires mais nationales. Ce phénomène - pour des causes évidentes particulièrement sensible en droit, en sciences sociales et dans les négociations politiques - se retrouve dans la gestion des affaires et des entreprises où il constitue un obstacle majeur à la coopération économique.

Les incompatibilités et les malentendus qui en résultent ne peuvent être surmontés, la richesse créative de la diversité des approches pleinement valorisées que si les partenaires ont appris à confronter et à négocier d'une manière implicite ou explicite leurs démarches respectives. Ceci implique une prise de conscience de la relativité et du conditionnement des habitudes de penser et de se comporter qui, confrontées à d'autres également valables, n'apparaissent plus comme les seules normales et naturelles mais comme le produit de constellations historiques particulières, donc déterminés dans une large mesure par des cultures nationales, institutionnelles et disciplinaires. Pouvoir comparer ces cultures et leurs formes spécifiques de programmation et d'expression, faire sa propre archéologie du savoir et des modes de penser et de se comporter en découvrant celles des autres, constitue donc un élément-clé d'une formation européenne destinée à valoriser les diversités culturelles.

D'une manière très concrète et sans que les participants ne s'en rendent généralement compte, toute coopération européenne constitue ainsi un laboratoire méthodologique qui dégage à travers les combinaisons de différentes approches des savoir-faire nouveaux. Avec une meilleure formation - qui passe par exemple par une préparation et une évaluation plus précise des échanges universitaires et des stages - ce capital particulier de l'Europe pourrait porter tous ces fruits.

Négociations et coopérations: Comprendre les intérêts et les marges de manoeuvre

La comparaison entre structures nationales, modes de penser et comportements sociaux devient encore plus nécessaire si l'on entre dans des projets de coopération concrète destinés à aboutir à des réalisations durables comme des programmes conjoints, des fusions d'entreprise ou la mise en commun de vastes domaines politiques et administratifs tels que les prévoit le traité de Maastricht. Ceux-ci sont condamnés à échouer si les partenaires n'arrivent pas à estimer et à négocier avec précision leurs marges de manoeuvre respectives. Savoir qui peut faire quoi avec quelle portée, où se situent les obstacles et les possibilités d'intervention, quelles sont les raisons d'hésitation et de réticences éventuelles et quelles peuvent être les forces mobilisatrices constitue le fondement de toute négociation et coopération fructueuses. Savoir analyser, expliciter et comparer ses marges de manoeuvre constitue donc un élément fondamental de toute formation à la coopération européenne. Elle demande une capacité de prise de conscience et de savoir-faire comparatif qui n'est pas enseignée dans nos écoles, dans nos universités et dans nos formations professionnelles.

Besoins de recherche et de développement

Ces besoins pratiques de la communication et de la coopération européennes - bilatérales ou multilatérales - font apparaître des besoins de formation, d'information et d'analyses comparatives qui n'existent que d'une manière rudimentaire. Il fait appel à la recherche comparée en sciences sociales et humaines d'une manière qui ne correspond pas à leur production spontanée.

Orientés vers l'action européenne pratique (*action oriented*), formation et recherche doivent servir à établir des liens plus précis entre les acteurs, leurs finalités et leurs champs d'activité. L'Europe et ses nations, avec leur histoire, leurs cultures, leurs institutions et leurs systèmes politiques, économiques, sociaux et éducatifs, apparaît ainsi à travers les perspectives des différents acteurs concernés comme un champ de rencontres, de confrontations, d'échanges, de coopérations et de rejets en pleine évolution qui ne peuvent être comprises et maîtrisées sans une analyse approfondie de ses acteurs, de leurs positions respectives et de leurs interactions.

Au lieu de décrire d'une manière générale et donc souvent trop abstraite des ensembles thématiques qui correspondent généralement au découpage et donc aux traditions des différentes disciplines (de plus fort divergentes entre pays européens) ou à des interrogations politiques ou idéologiques particulières, les besoins de formation et d'orientation que nous venons d'identifier nécessitent une organisation de l'effort de réflexion et d'analyse autour de la constitution et des comportements d'acteurs sociaux et de leur interaction transnationale.

Celle-ci détermine les besoins d'information et d'analyse de données historiques et d'évolutions contemporaines qui permettent de dégager les marges de compréhension et de coopérations futures. Aider à se situer et à établir des liens transnationaux fiables dans une Europe en pleine évolution mais qui continue à être marquée par des traditions séculaires et durables, telle est la tâche prioritaire des études et des formations européennes. Elle constitue un défi scientifique considérable.

Comment organiser d'une manière cohérente une telle analyse des acteurs et de leur évolution à travers leurs différents champs d'acitivité ? Quels sont les outils qui permettent d'identifier et de comparer les déterminations sociales et culturelles qui orientent les positions, les finalités, les modes de penser et les comportements des acteurs qui entrent en relation transnationale? Comment établir les interactions entre les différents facteurs qui interviennent dans la constitution de ses acteurs et de leurs marges de manoeuvre? Quelles sont les connaissances et les méthodes à transmettre dans une formation européenne destinée aux non-spécialistes? Comment les sensibiliser et les préparer à des tâches que personne ne saurait prévoir d'une façon concrète? Comment choisir d'une manière appropriée des thèmes et des critères d'analyse utiles à long terme? Telles sont les questions auxquelles se voient confrontées toute organisation et préparation d'études européennes qui souhaitent dépasser une formation purement juridique, économique ou institutionnelle.

2 . La recherche comparée et ses défaillances

Dans le bilan de la littérature disponible et dans les documents politiques comme le traité de Maastricht, nous constatons à la fois l'évocation rituelle des spécificités nationales, donc la nécessité de les connaître et les comparer pour saisir la réalité européenne, et une certaine défaillance dans les efforts pour en tenir compte. Déjà une typologie sommaire des différentes approches fait apparaître les problèmes méthodologiques et pratiques sous-jacents qui reflètent les difficultés générales des sciences sociales et de leur application :

Juxtapositions de monographies nationales :

Même si celles-ci suivent d'une manière coordonnée des problématiques analogues, elles restent enfermées dans une démarche descriptive purement additive qui n'arrive à élucider que d'une manière fragmentaire les conditions historiques spécifiques de l'évolution dans chaque pays et encore moins leurs parallèlismes et divergences. Après une première phase de découverte, on constate rapidement une certaine fatigue, pas seulement des lecteurs, mais de la communauté scientifique et de ces instances de financement devant de telles présentations trop globales par pays à finalité incertaine. Nous constatons certes un regain d'intérêt pour les problèmes d'identité nationale, mais la conscience plus ou moins lucide de leur précarité devant la transformation rapide de nos sociétés limite la crédibilité de tels portraits nationaux. Il faudra en effet être capable de saisir concrètement les continuités dans le changement sans sousestimer les possibilités de véritables mutations nationales et européennes.

Comparaisons par thèmes :

De nombreuses études, rapports administratifs et politiques et de débats isolent certains problèmes (par exemple: chômage, politique de santé, réforme universitaire etc.) pour en comparer les solutions dans différents pays. Ces analyses qui sont généralement *"policy-oriented"* ont l'avantage d'une plus grande précision dans leur problématique que les bonnes études arrivent à formuler avec une précision fonctionnelle qui permet de les situer dans des systèmes sociaux et politiques différents. Cependant, leur concentration trop exclusive sur un secteur ou sous-secteur spécifique risque toujours de négliger le contexte historique des sociétés à comparer.

Ce problème peut conduire jusqu'à une véritable désinformation à travers des juxtapositions statistiques insuffisamment commentées (par exemple: Mermet: *Euroscopie*). Isoler par exemple le nombre de bacheliers ou d'étudiants par pays sans analyser l'ensemble du système d'éducation dans sa relation avec le marché du travail et les hiérarchies sociales ne peut conduire qu'à des abérrations.

Comparaisons mono-disciplinaires:

Ces analyses thématiques et leurs supports statistiques peuvent s'élargir sur des comparaisons qui englobent tout un secteur selon les démarcations et l'outillage théorique des disciplines qui le prennent en charge. Cette démarche appliquée avec assurance et naïveté particulières dans les sciences économiques qui tendent à prendre leurs chiffres et leurs modèles pour la réalité se retrouve dans d'autres domaines comme les sciences politiques qui essaient d'analyser les systèmes politiques, historiquement fort différents selon un même paradigme. Ils dépassent ainsi les habitudes non réfléchies d'autoanalyse journalistique des différents pays. Mais en procédant ainsi, ils perdent en pertinence ce qu'ils ont gagné en vigueur et cohérence comparative en appliquant partout d'une manière rigide les mêmes concepts. On arrive certes à définir le rôle des partis politiques d'une manière fonctionnelle de telle façon qu'il puisse s'appliquer à tout système démocratique, mais il faudra plus pour en saisir le rôle spécifique dans les différents pays. L'histoire, si elle est trop rapidement évacuée par rigueur scientifique, a tendance à se venger.

Formulation de théories générales:

Ce problème est aggravé par une tendance générale des sciences sociales. Dans la mesure où celles-ci se veulent scientifiques, c'est-à-dire capables d'hypothèses et de résultats généralisables, elles préfèrent la cohérence de leurs constructions conceptuelles à des démarches descriptives qui feraient entrer en jeu trop de variables difficiles à maîtriser. Dans une telle optique, il paraît souvent préférable d'analyser les pays industrialisés en général que l'Europe dans sa spécificité pour aboutir par exemple à des théories de la modernisation, de la société post-industrielle etc., à haute valeur heuristique, mais dont la précision pour les sociétés concrètes reste limitée.

Histoire comparée:

Cependant rien ne montre comme les études comparées à quel point des références historiques sont nécessaires pour comprendre les phénomènes et leurs interactions dans les sociétés contemporaines.

Ce retour de l'histoire qui se manifeste partout dans les sciences sociales a conduit également à un regain d'intérêt pour une histoire européenne qui dépasse la juxtaposition d'histoires nationales. Pour les raisons évoquées ci-dessus, celle-ci est cependant difficile à réaliser, car sa construction dépend à tel point des perspectives, hypothèses et présupposées choisies qu'une multitude de constellations thématiques et donc d'interprétations historiques est possible. En plus, la profondeur et l'accélération des transformations intervenues depuis quelques décennies est telle qu'il faut tenir compte de ces mutations contemporaines dans l'utilisation des références historiques. Selon la perspective choisie, on peut ainsi souligner soit les racines communes et les convergences nouvelles entre sociétés européennes soit la subsistance de leurs divergences anciennes et récentes. Dans cette optique, les comparaisons bilatérales faisant appel à l'histoire sociale offrent une plus grande précision de cette dialectique entre la continuité et le changement, entre la diversité et les convergences que les grandes synthèses européennes. Cependant, la production historique en tant que telle ne peut pas fournir des solutions toutes faites aux difficultés des sciences sociales.

Comment surmonter le dilemme des études comparatives ?

Toutes ces approches fournissent donc des contributions valables sans être capables de résoudre d'une manière définitive leurs défaillances respectives. Il ne suffit non plus de les considérer globalement comme complémentaires car leur simple addition ne permet pas de combler les lacunes qui leur sont inhérentes. Une vision cohérente de l'Europe avec ses convergences et ses disparités est-elle donc impossible?

Pas nécessairement, si l'on tient suffisamment compte du précepte épistémologique général que la perspective de l'observateur, c'est-à-dire ses intérêts, ses références institutionnelles, ses hypothèses, ses outils, ses choix thématiques et ses formes de présentation déterminent dans une large mesure les résultats qu'il peut obtenir. Les limites et les déformations de sa perception particulière ne peuvent donc être surmontées que d'une manière réflexive par une analyse qui arrive à rendre transparents ces présupposés et à les confronter à d'autres perspectives possibles.

Une tâche aussi complexe que la comparaison des sociétés européennes constitue donc un processus permanent de remise en question des résultats obtenus et de confrontation de perspectives multiples. Elle demande une formation et la mise à disposition de sources d'information et de réflexion particulières. Celles-ci ne peuvent être arrêtées d'une manière abstraite et générale qui conduirait forcément dans les apories scientifiques évoquées ci-dessous, mais doivent être définies en fonction des besoins pratiques de l'Europe en voie de formation. C'est dans la communication et la coopération concrète entre Européens que les besoins d'une compréhension comparative apparaissent d'une manière précise.

Ainsi ciblés, les outils scientifiques sans lesquels aucune orientation valable ne saurait être trouvée, pourraient s'ordonner d'une manière plus précise et développer leur complémentarité autour de projets concrets.

3 . La théorie de la socialisation comme lien théorique et orientation pratique de la formation

Dans une optique de formation, il faudra se concentrer d'abord sur des savoirs et des savoir-faire qui correspondent à une expérience accessible. Celle-ci consiste dans le parcours et les études, stages et expériences professionnelles antérieures des étudiants ou adultes concernés. En effet, la continuité entre les différents facteurs qui influencent la constitution et le comportement des acteurs de la communication et de la coopération européennes est assurée par leurs parcours biographiques qui correspondent - plus qu'ils ne s'en rendent généralement compte - à des typologies socioculturelles identifiables. Se comprendre soi-même comme produit d'orientations sociales et culturelles spécifiques et être capable de les comparer à celles des partenaires constitue, comme nous l'avons vu, l'expérience et la qualification centrale pour toute communication et coopération approfondies.

Une telle analyse à la fois biographique et institutionnelle permet d'intégrer des éléments historiques, sociaux et culturels différents et souvent contradictoires dans leur interaction sur le parcours de l'individu dans la constitution de sa configuration affective, intellectuelle et sociale. Il faudra vérifier dans quelle mesure les différentes approches de la théorie de la socialisation (Durkheim, Weber, Habermas, Mead, Berger et Luckman etc. : voir Dubar: *La socialisation, Construction des identités sociales et professionnelles*, Paris, 1991) offrent des constellations thématiques et des critères d'analyse particulièrement propices à la comparaison européenne.

Démarche pour la formation européenne et pour la constitution de dossiers

Il n'est certes pas question de présenter les diférents domaines concernés (Evolution des structures sociales; structures familiales; systèmes d'éducation; économie; protection sociale; vie quotidienne; multiculturalité; culture politique; valeurs) exclusivement comme instances de socialisation. Il faudra les situer dans l'histoire des différents pays et de l'évolution transnationale des sociétés industrielles, c'est-à-dire dans un contexte «macro» et tenir compte de leurs interactions qui sont également de type «macro». Mais il faudra veiller à ce que les facteurs de socialisation qu'ils impliquent soient relevés et si possible comparés dans leurs effets cumulatifs. On pourrait ainsi parvenir à établir des typologies d'acteurs, de cadres de référence et de comportements dont la valeur heuristique sera d'autant plus grande qu'elles donnent en même temps des clés pour leur vérification critique.

Il faudra vérifier en établissant les plans thématiques et la manière de présentation des différents dossiers dans quelle mesure ceci sera possible.

Results of the discussion

BETWEEN INFORMATION, THEORY AND EDUCATIONAL EXPERIENCE

Interdisciplinary contributions to the development of European studies.

L. Bekemans
M.C. Bernard
R. Picht

Introduction

The following synthesis of two days of intense scientific debate does not pretend to summarize all the important remarks made concerning the papers and the general problems of comparing European societies. It does even not identify the authors of the criticisms and suggestions made concerning single points. It merely presents the conclusions which we consider particularly relevant for the further development of the project.

All participants agreed that the conference was very timely in giving a necessary impulse to the study and understanding of the development of European societies between convergence and diversity. They all suggested that immediate practical steps should be taken to benefit fully from the interdisciplinary and stimulating debate which launched the project.

We have structured the criticisms and suggestions concerning the general framework of the project as well as its implementation under a number of headings. These indicate the close but dynamic link between the objectives and the framework of the project and the practicality and relevance of the suggested dossier approach to the discipline of European studies.

I . OBJECTIVES AND TARGET GROUPS

The participants agreed that the aim of introducing social and cultural dimensions into European studies could not consist in accumulating and transmitting heavy amounts of data and information on all European countries. The aim of developing the teaching materials in the form of dossiers, readers etc. can not be to create a kind of European encyclopaedia. Too various are the approaches, too rapidly outdated the facts and figures.

The objective is to contribute in a pragmatic way to an understanding of the existing socio-cultural realities in European societies. All were convinced of the need to be better prepared in dealing with and responding to the challenge of Europe's multicultural future.

Important in that perspective is to define the public and the specific target groups to which the results of the project could be geared. Participants distinguished different speeds and levels of implementation. It was accepted that a major target group could be university programmes in European Studies. All agreed that the discipline of European Studies needed such a comparative and interdisciplinary contribution to tackle the complex problems of changing European societies.

The acquired knowledge and concepts presented in the different dossiers could also be targeted to decision makers in European affairs. Short policy-oriented versions of the dossiers could be useful tools. A better comprehension of the cultural specificities in European societies was also considered important for an efficient cooperation in the economic and management field. The results could also be introduced to trainers in order continuously to update their education and teaching.

In short, it was recognised that the proposed dossier approach could stimulate multiple activities in research, teaching and training in a differentiated way according to specific target groups. It could also guide the media to present more profound comparative information on European societies.

II . INFORMATION AND THEORY

The need for deeper understanding and orientation in the complex field of convergence and diversities between European societies cannot been clarified without precise terms of reference, that is to say selected pieces of precise information in the framework of a clearly identified context. Their choice and presentation should not be arbitrary. This leads to the crucial question of which kind of theoretical references seem appropriate for this type of project.

The papers presented and their survey of the highly fragmented research and information concerning a relevant comparison of European societies led to an intense debate on the necessity of theoretical approaches for a better understanding of contemporary European developments. The participants agreed that an overall grand theory on European societies is not available and probably even not feasible; or if it is available then - being too general - it is not relevant.

Nevertheless, middle range theoretical approaches should be developed for the whole project and its different concrete elements. These should allow for a continuous intellectual deepening and confrontation of paradigms from different disciplines. They should also guarantee the practicality of the project in a balanced mixture of theory and facts.

The concept of convergence and diversity in itself needs clarification: in what time scale and concerning what themes should it be applied? It was argued that diversity has to be studied within a common background in order actually to fit the information. Therefore theoretical references need to be clarified in order to define convergent pressures and divergent tendencies and to understand the actual outcomes of those developments.

Moreover, what are the terms and references for comparison? If rigorous comparison on all points does not seem feasible, what is the use of competing approaches allowing one to be more descriptive and to go deeper into the diversity of the history of European nations? The implied historical dimension of the proposed comparative approach to the understanding of European societies was generally accepted by the participants.

146

The problems of overall comparison of European societies appear again in each isolated theme in a specific way: fields like education, economics, demography or migration each have their own logic. Each sector has its own historical and theoretical background and horizon, its own forms of interdependence with other fields, its own concepts and scientific traditions. In short, the existing disciplinary boundaries are often seen to hinder an adequate comparison of societal developments.

To make things even more complicated, the methodological problems are not identical internationally. Even inside Europe these are characterised by a high degree of diversity between national traditions in social sciences and in political and cultural debate.

The participants agreed that this complexity of interdisciplinary and international cooperation makes the project even more attractive: the necessity of concrete results can lead to a form of cooperation which institutional and scientific routine normally tends to avoid. It could certainly create positive side effects.

They also considered that the solution to this dilemma could not consist in running theoretical debates first, coming to the concrete themes later. On the contrary, the flexible structures of dossiers realised by small but diversified teams of specialists from different countries and the repeated cross-discussion of different dossiers can lead to a pragmatic way of progressing, allowing new forms of interdisciplinary debate.

It should be a parallel process in which theory progresses by virtue of a pragmatic approach. In order to allow this, each dossier should as far as possible make explicit the assumptions on which its selection of texts and information is based. It was suggested that each dossier should be introduced by a short explanatory presentation of the contextual setting of the specific theme in relation to the general framework and objectives of the project. It was stressed that the flexible dossier approach implies a learning process which allows for a continuous inclusion of information and an updating of the socio- cultural development of European societies.

147

III . THEORY AND RESEARCH

Strong points were made to associate the ongoing research developments with existing teaching programmes. The importance of the project was said to lie primarily in the practical relevance and use of the results in the permanent process of implementation in European Studies. It was clearly said that teaching programmes should be supported by research in order to raise their quality and to be better prepared to respond to the actual changes in societies.

All agreed on the interdisciplinary and international cooperation to produce a comparative analysis of the changes taking place in different countries. Such an approach would certainly have repercussions on specialised research. The applied and practical character of the dossier approach was seen as mutually beneficial to theoretical and research developments in a number of fields in the social sciences. The framework and objectives of the project were said to strengthen such a link.

IV . THEORY AND EDUCATION

In fact the dilemma between theory and the choice and interpretation of selected pieces of information presents a high degree of analogy to the question of how to prepare students for a highly uncertain future. Here again the training in a sophisticated use of concepts, assumptions, experience and means of information seems more efficient than a simple transmission of highly problematical doctrines. The intelligent use of concepts and tools concerning the forms of convergence and diversities between European societies to which they may be confronted in the future is the central qualification which European studies in higher education are supposed to transmit.

In this context the personal experience of students with their own society and through studies abroad constitutes a precious capital of observation. Questioning the relevance of concepts and information could be linked to the specific potential of comparison.

The theory and practice of socialisation could help to establish interrelations between the different subjects presented in form of dossiers and curricula. The theoretical and the practical use of the project are in consequence closely interrelated: its scientific relevance could be its most practical usefulness. It should therefore not only consist in the separate addition of dossiers on specific topics but continue the effort of interdisciplinary co-ordination of which the conference was a first example.

V . THEMES

The participants examined the list of proposals for the future development of dossiers. They agreed on the general dossier-approach which allows a flexible form of presentation of different approaches and materials. They considered that for the time being the geographical area of the project should be limited to the industrialised states of western and northern Europe, the problems of post-communist societies being too different.

As encyclopaedia is anyhow excluded, the aim is not complete country-by-country information but the presentation of typologies and their problems in order to indicate an intelligent use of concepts and tools which lead to a better understanding of the socio-cultural realities in European societies and, consequently, a more efficient cooperation among human beings on the European scene. It was defined as a multidimensional and sensible approach to comprehend the complexities of changing societies and to compare common problems in their national and culturally specific contexts.

Priority was given to the following themes :

- Education I and II : Comparison of educational systems; ways of thinking and behaviour transmitted by school and higher education.
- Economic cultures I : the role of the state, social relations, labour systems, national reactions towards internationalization.
- Economic cultures II : comparative management and business cultures.
- Family structures and demography.
- Towards a multicultural European society? Migrations, minorities and social change..
- Transformations of urban and rural society;

At the same time and in connection with these dossier-themes the basic work on culture and economics and on the general theoretical and educational problems has to be continued. In particular, all participants suggested the necessity for a continuous effort in the analysis of the socio-cultural dimension in European economic systems.

150

The proposed socio-historical, economic approach was said to be front-running in the comparative study of European societies. It provided interesting assumptions and general theoretical references for the preparation of a basic dossier. All participants agreed on the importance of applied research on the «embeddedness» of the economy in the political, social and cultural dimension of European societies. It was said that the proposed international and interdisciplinary cooperation could have an impact on the education and training of future economic actors.

VI . A NETWORK OF INTERDISCIPLINARY AND INTERNATIONAL CO-OPERATION

The participants suggested the creation of a scientific steering committee for the further development and co-ordination of the project. They agreed to the proposed pragmatic step-by-step procedure :

1. Work on individual dossiers undertaken by small and interdisciplinary teams of specialists.
2. The organisation of an annual conference which proposes to discuss the state of the project and the interconnections between different dossiers and the general theoretical and educational problems.
3. The publication of the dossiers in separate volumes.
4. The preparation of a book which synthesises the results of dossiers and conferences in view of the understanding of the socio-cultural developments between European societies.
5. The organisation of a final big conference which assesses the results of the whole project.
6. Co-operation with different studies and management training centres to test new ways of education and training during the development of the project.
7. Diffusion of the results by short synthesis papers to specific target groups such as decisionmakers, managers and trainers.

Most of the participants offered their active participation in the future development of the project. Concrete cooperation was already agreed between the College of Europe, the Swedish Institute for Future Studies and EAP (Escuela Europea de Administracion de Empresas). Others proposed cooperation in specific themes and participation in expert teams.

With its step-by-step approach, the project can be financed by different sources, eventually dossier-by-dossier. If realised in due time (about three years) it can constitute an important contribution not only to the concrete needs of European studies but to the interdisciplinary networking in social sciences all over Europe.

List of Participants

ANDERSSON, Ake E.

Professor, Director Swedish Institute for Futures Studies
Box 6799
S - 113 85 STOCKHOLM
Tel. 46 18 610 04 00 Fax 46 18 33 20 46

BALODIMOS, Athanassios

Assistant of Legal Studies, College of Europe
Dijver 11
B - 8000 BRUGGE
Tel. 32/50 33 53 34 Fax 32/50 34 31 58

BEKEMANS, Léonce

Assistant Professor, College of Europe
Dyver 11
B - 8000 BRUGGE
Tel. 32/50 33 53 34 Fax 32/50 34 31 58

BERNARD, Marie-Catherine

Chercheur
avenue Georges Clemenceau 141
F - 14000 CAEN
Tel. 33/31/44.94.23

BIRG, Herwig

Professor, Director Institute for Population Research and Social
Policy, Universität Bielefeld
Universitätsstrasse 1
D - 4800 BIELEFIELD 1
Tel. 49/521 106 5162 Fax 49/521 106 5844

CROUCH, Colin John

Lecturer, Trinity College
GB - OXFORD OX1 3BH
Tel. 44/865 279 879 Fax 44/865 279 911

EDWARDS, Carel

Administrateur principal CEE
Secrétariat Général, Fondation Salvador de Madariaga
Rue de la Loi 200, Brey 7/207
B - 1049 BRUXELLES
Tel. 32/02 235 95 38 Fax 32/02 236 23 89

KERKHOFS, Jan

Professor Emeritus K.U.L.
Waversebaan 220
B - 3001 LEUVEN (Heverlee)
Tel. 32/16/22 25 62   32/16/22 22 24 Fax 32/16/22 29 57

KORMOSS, I.B.F.

Secrétaire général de la Conférence des Régions de l'Europe
du Nord-Ouest,
Professeur, Collège d'Europe
Dyver 11
B - 8000 BRUGGE
Tel. 32/50/34.14.63   32/50/33.53.34 Fax 32/50/34.31.58

MOLINA DEL POZO, Carlos Francisco

Professor of Law, University of Alcala de Henares
Plaza San Diego s/n
E - 28801 ALCALA DE HENARES MADRID
Tel. 34/8882200 (Post 279) Fax 34/885 40 95

PENA, Fernando

Directeur International des Etudes de l'EAP
Escuela Europea de Administracion de Empresas
Arroyofresno 1
E - 28035 MADRID
Tel. 34/1/386 25 11 Fax 34/1/373 92 29

PICHT, Robert

Direktor, Deutsch-Französisches Institut
Professor, College of Europe
Aspergerstrasse 34-38
D - 7140 LUDWIGSBURG
Tel. 49/71 41/92 41 18 Fax 49/71 41/90 24 33

TEICHLER, Ulrich

Professor, Wissenschaftliches Zentrum für Berufs-und
Hochschulforschung, Gesamthochschule Kassel
Henschelstrasse 4
D - 3500 KASSEL
Tel. 49/561 804 2415 Fax 49/561 804 3301

UNGERER, Werner

Ambassador, Rector of the College of Europe
Dyver 11
B - 8000 BRUGGE
Tel. 32/50/33.53.34 Fax 32/50/34.31.58

VAN WEZEL, Jan

Professor of Sociology, Katholieke Universiteit Brabant
Warandelaan 2
Postbus 90153
NL - 5000 LE TILBURG
Tel. 31/13 669 111 Fax 31/13 662 370

VIDAL-BENEYTO, José

Professeur de sociologie, Université de Paris X,
BERD Boulevard de la Madeleine 12
F - 75008 PARIS
Tel. 33/1/44 51 81 00 Fax 33/1/40 07 10 72

VUIJLSTEKE, Marc

Directeur de la bibliothèque, Collège d'Europe
Dyver 11
B - 8000 BRUGGE
Tel. 32/50/33.53.34 Fax 32/50/34.31.58

VILA COSTA, Blanca

Professeur, Chaire J. Monnet de Droit Communautaire
Responsable de Recherche à l'Institut
universitaire d'Etudes européennes
Universidad Autonoma de Barcelona
E - 08193 BELLATERRA (BARCELONA)
Tel. 34/1/581 10 79581 16 08 (Dir) Fax 34/3/581.20.02

WRIGHT, Vincent

Official Fellow, Nuffield College, University of Oxford
GB - OXFORD OX1 1NF
Tel. 44/865 278 538 Fax 44/865 278 621